D0806742

Le Destin de Qader

Philippe Gauthier

Éditions Paulines

DU MÊME AUTEUR
DANS LA COLLECTION *JEUNESSE-POP* :

L'Héritage de Qader
Le Château de Fer

Photocomposition et montage: *Éditions Paulines*

Illustration de la couverture: *Charles Vinh*

Photo: *Charlotte Beer*

ISBN 2-89039-567-7

Dépôt légal — 2ᵉ trimestre 1992
Bibliothèque nationale du Québec
Bibliothèque nationale du Canada

© 1992   Éditions Paulines
            3965, boul. Henri-Bourassa Est
            Montréal, QC, H1H 1L1

À Charlotte
et à nos ancêtres irlandais communs

L'auteur souhaite également remercier Francis Dupuis-Déri, Sophie Lagacé et Una M. Beer pour l'aide apportée lors de ses recherches sur les traditions irlandaises.

1

Les inquiétudes de Freya

C'est un lointain son de cloche qui avertit Télem que la ville d'Arieste n'était plus qu'à une heure ou deux de marche. Télem n'était allé qu'une seule fois à Arieste, voilà un an et demi. On lui avait alors expliqué que toutes les grandes familles de la ville annonçaient les anniversaires, les naissances et les mariages par des mélodies particulières du carillon familial.

Les cloches ne résonnaient pourtant pas à Arieste la dernière fois que Télem y était venu. La ville était alors en état de siège et semblait destinée à tomber sous les coups terribles que lui portaient les troupes du Duc-magicien Prentziq[1]. Pris de terreur à la pensée que des magiciens s'en prenaient à la ville, les gens d'Arieste n'osaient plus faire résonner leurs joyeux carillons.

---

[1] Voir *L'héritage de Qader,* dans cette collection.

Marchant à nouveau sur la route d'Arieste, Télem ne pouvait s'empêcher de penser aux événements tragiques qui l'avaient amené là au beau milieu d'une guerre de magiciens. Héritier d'un anneau magique aux pouvoirs inconnus recherché par le Duc-magicien et ses alliés, il avait dû fuir sa ville pour se réfugier à Arieste, où résidait un mage très puissant qui seul pourrait le conseiller. Cette route, le jeune Télem — il avait alors quatorze ans — l'avait empruntée lors d'un automne de mort et de souffrances, avec la crainte perpétuelle de recevoir une flèche dans le dos.

Une de ses camarades d'alors se tenait en ce moment à ses côtés : Alys qui était de deux ans l'aînée de Télem et qui était magicienne tout comme lui. Les deux jeunes gens marchaient en se tenant par la main.

— C'est bien moins sinistre qu'il y a dix-huit mois, non ? dit Alys à l'intention de Télem.

— Pas difficile, répondit Télem avec un mince sourire. Tout de même, je vais être bien content de revoir Freya, maintenant que tout ça est fini.

Ils n'étaient pas les seuls sur la route. Ils croisaient régulièrement des cavaliers, des charrettes de paysans et des gens à pied. Ils furent même dépassés par des membres de la haute noblesse. Arieste, en effet, était la capitale du royaume de Télesgrie.

La région boisée qu'ils traversaient laissa finalement place à une plaine brune et marécageuse qui tranchait sur le vert tendre de la forêt. Ces terres avaient déjà été une région agricole très prospère. Mais, plus que tout autre dans le royaume, cet endroit avait souffert de la guerre des magiciens voilà dix-huit mois. Trop de magie y avait été déployée, et la structure de l'univers à cet endroit avait été profondément perturbée. Le chaos — ce désordre irrationnel où rien n'a de forme fixe — s'était emparé de ce lieu, et des armées entières y avaient alors disparu, aspirées vers une dimension inconnue et terrifiante. La nature mettrait des années, des siècles peut-être, avant d'y revenir à son état normal.

De part et d'autre de la route, la terre était presque nue, et spongieuse. Çà et là, le regard butait sur des trous d'eau où poussaient des algues d'un brun écœurant. Télem donna un coup de pied à une motte de terre sur laquelle poussait une mauvaise herbe rachitique.

— Dire qu'après la bataille, on a donné ton nom à cette plaine-ci. Le Tétragramme...

— Raison de plus pour me faire appeler Télem, dit-il. Non seulement Tétragrammaton c'est long et compliqué, mais en plus...

Télem ne finit pas sa phrase. Il regardait autour de lui avec dégoût.

— Personne ne pouvait savoir que la plaine aurait l'air de ça au printemps lorsqu'on l'a renommée en ton honneur, dit Alys. C'est toi qui as permis de remporter la bataille contre les armées des Ducs-magiciens, après tout! Je parie que les gens parlent encore souvent du garçon de quatorze ans qui a affronté seul Prentziq et les autres magiciens et qui les a montés les uns contre les autres. Même que la légende embellit certainement tes exploits!

Télem gardait son air renfrogné.

— Allons, fais pas cette tête-là! dit Alys à Télem en l'embrassant sur une joue.

— Mais quand même... répondit Télem sans préciser sa pensée. Au moins, j'espère que Freya aura des choses à m'apprendre sur Qader, ajouta-t-il au bout d'un moment.

Les deux voyageurs étaient maintenant presque au pied des murs de la ville fortifiée d'Arieste. Quelques tours, de l'autre côté de la ville, s'élevaient plus haut que les autres; on y distinguait de longues bannières. C'étaient les tours de la forteresse royale. Freya, qui occupait officiellement la fonction d'astrologue du roi pour masquer sa véritable identité de mage, les y invitait.

* * *

Suivant un page, Télem parcourait de longs corridors souterrains, loin dans les entrailles de la forteresse royale. Les murs étaient couverts de salpêtre et sentaient l'humidité. Mais bien rares étaient ceux qui avaient eu l'honneur de les parcourir: ces corridors oubliés menaient à la crypte secrète de la mage Freya.

Cet endroit avait servi de bibliothèque à des magiciens avant la destruction de la ville d'Arieste par les soldats de l'empire mirghul, voilà plus de six siècles. L'endroit avait échappé à la mise à sac de la ville, mais n'avait été retrouvé que pendant le siège d'Arieste, quelques jours à peine avant l'arrivée de Télem. Les livres, intacts, gardaient le souvenir d'événements oubliés depuis longtemps par les hommes.

Télem et le page parvinrent enfin à une salle plus récente, fermée d'un côté par un mur de pierre noire. Une lourde porte de bronze verdi par le temps s'y découpait. Le page salua et quitta la pièce. Télem se servit du heurtoir qui se trouvait sur la porte pour frapper deux coups. La porte s'ouvrit au bout d'un assez long moment.

— Ah! C'est toi, Télem! fit une voix désagréablement aiguë. Comme tu as grandi! Viens, entre!

C'était Freya. Boulotte, haute comme trois pommes, la voix haut perchée, les yeux bouffis de fatigue, nul n'aurait pu croire qu'il s'agissait là de l'une des magiciennes les plus en vue de l'ordre secret des magiciens. Elle approchait de la soixantaine, mais elle était toujours aussi excitée.

— Bonjour Freya, ça me fait plaisir de te revoir. Ça n'a pas beaucoup changé, ici.

Les murs de la pièce étaient couverts de livres, soigneusement rangés sur des tablettes de pierre. Ces vieux manuscrits dataient tous d'au moins six cents ans, parfois du double. Il y avait ici un trésor de connaissances qui donnait presque le vertige. Les écrits de tous les plus grands philosophes et magiciens — y compris Qader! — étaient consignés ici.

— Comme ça, il paraît que tu as profité de l'hospitalité de Prentziq, ces derniers temps?

— Façon de parler. J'ai passé trois semaines dans ses geôles. Trois semaines de cauchemars et de torture mentale... C'était affreux[2].

— Qu'est-il devenu? demanda Freya.

— Il a connu une fin atroce. Le Château de Fer s'est effondré. Tous les démons que Prentziq avait emprisonnés dans notre monde sont retournés dans le leur et l'ont entraîné avec lui.

— Nous en voilà donc débarrassés à jamais. Maintenant, les magiciens noirs sont privés de chef.

— Pour ce qu'il en reste...

— Télem — ou Tétragrammaton, plutôt — as-tu l'anneau de Qader sur toi en ce moment?

— Oui, je ne m'en sépare jamais, mais... Pourquoi cette question?

— À part les mages et l'Archimage, personne ne le sait encore, mais la confrérie des magiciens fait face à un grave problème.

— Le retour des magiciens renégats en Erkléion? Ça a été un feu de paille, le seul

---

[2] Voir *Le Château de Fer,* dans cette collection.

magicien du groupe qui était dangereux était Prentziq; Alys et moi en sommes venus à bout...

— C'est justement ça, notre problème. Télem, c'est épouvantable : les magiciens noirs sont vaincus. Nous n'avons plus d'ennemis.

— Épouvantable? Mais c'est merveilleux! Tu... tu es sûre de ce que tu avances?

— Oui. Il y a quatre mois, nous avons reçu des nouvelles venant du sud du continent. Les membres de notre confrérie là-bas ont réussi à convertir presque tous les renégats de la région à notre cause. Les magiciens noirs qui restent sont peu nombreux et désorganisés. D'ici quelques années, il n'en restera plus un seul. Bref, ils ne nous menacent plus. Le seul autre endroit où il y avait une résistance organisée de la part des magiciens noirs était le royaume d'Erkléion. Mais Alys et toi semblez avoir réglé leur compte une fois pour toutes.

— Je ne vois toujours pas quel est le problème...

— Le problème? Mais c'est tout simplement que maintenant que les magiciens renégats sont vaincus, la magie ne sert plus à rien!

— À rien? Mais c'est ridicule! Nous avons encore le pouvoir de... de...

— Tu comprends, maintenant?

Télem comprenait même trop bien. C'était comme si la terre s'ouvrait sous ses pieds. Les conséquences de sa victoire sur Prentziq lui donnaient le vertige. Tous les magiciens de la confrérie obéissaient à un code de conduite très strict, élaboré par Qader, philosophe ayant vécu six cents ans plus tôt. Ce code de conduite répondait à un besoin précis: éviter que le chaos ne s'empare de l'univers à la suite d'une utilisation abusive de la magie. La dévastation qui s'étendait devant Arieste n'était rien: il y avait des endroits où l'équilibre naturel avait été compromis de façon encore bien plus grave. Durant l'Interrègne Yttérique, la plus grande guerre de magiciens de tous les temps, voilà mille ans, il était arrivé que des villes entières disparaissent, happées par le chaos, ou que des chaînes de montagnes se déplacent.

L'utilisation de la magie devait donc être réduite à l'essentiel. Mais comment définir «l'essentiel»? En pratique, les magiciens s'en étaient tenus aux expériences indispensables pour apprendre la magie et aux sortilèges qui leur permettaient de mettre en échec les magiciens noirs. Maintenant que ceux-ci étaient vaincus, il ne restait plus que la perspective d'étudier la magie sans jamais avoir la possibilité de la pratiquer!

— Oui, je comprends... Nos connaissances ne nous serviraient donc plus à rien? C'est incroyable!

— C'est même impossible. Cela n'a pas été gardé secret pour rien. L'archimage est d'avis que la confrérie risque d'éclater si la vérité se sait. Certains voudront pratiquer la magie à n'importe quel prix. Et nous aurons de nouveaux magiciens renégats sur les bras.

— Affreux. Je comprends pourquoi l'Archimage veut garder tout ceci secret. Mais la vérité ne pourra plus être cachée bien longtemps!

— C'est là que tu entres en jeu, Télem.

— Je vois où tu veux en venir! protesta Télem avec un mouvement de recul. Mais je ne peux rien faire! Ce n'est pas mon rôle! Je ne suis pas un philosophe!

Freya le regarda avec sévérité.

— Tétragrammaton! Le qadérisme est maintenant dépassé, ou alors il nous a toujours été enseigné d'une façon incomplète. Tu es porteur de l'anneau de Qader, qui contient une partie de sa personnalité. Il a fait de toi son héritier spirituel, et tu es le seul à pouvoir entrer en contact avec lui dans l'anneau.

— L'anneau! Qader! Mais il ne m'a pas envoyé un seul signe depuis un an et demi! cria Télem.

— Parle-lui! Il t'entendra! Tu es le seul qui puisse lui parler! Crois-tu que c'est par hasard que l'anneau est tombé entre tes mains, alors qu'il était perdu depuis six siècles? Je suis certaine que Qader savait que ce problème se présenterait. Et c'est pourquoi il s'est débrouillé pour que l'anneau réapparaisse!

— C'est tout de même incroyable! Je n'ai jamais demandé à porter le poids de l'univers sur mes épaules comme ça!

— La vie est peut-être injuste, Tétragram-maton. Mais c'est toi qui as été choisi par Qader, et tous le savent! Si tu trouves des réponses à nos questions, tous les magiciens t'écouteront! Si tu échoues, la confrérie va se disperser et les guerres de magiciens repren-dront! Choisis!

2

À la recherche de Qader

Télem était sorti de la crypte moins furieux que découragé. Freya avait raison: lui seul pouvait encore sauver la confrérie des magiciens. Mais quelle responsabilité! Encore une fois, on lui confiait une tâche titanesque, dont dépendait le sort du monde. Il se sentait seul, sans moyens. Pire que tout, il n'avait même pas une idée claire de ce qu'il lui fallait faire. Affronter Prentziq à deux reprises avait été facile, d'une certaine manière: au moins, il savait qui il devait affronter et quelles étaient les issues possibles. Mais cette fois, Télem ne savait même pas par quoi commencer.

Parler à Qader! Ils en avaient de bien bonnes, eux! L'anneau ne s'était manifesté qu'une seule fois, un an et demi auparavant, lors du siège désespéré d'Arieste. L'anneau s'était exprimé dans une sorte de songe où des images difficiles à interpréter s'étaient imposées à l'esprit de Télem. Comme si Qader avait lui-même de la difficulté à organiser sa pensée et à la transmettre.

Qui sait, cette tentative de mettre une copie de la personnalité de Qader dans un anneau avait peut-être été un échec? Peut-être que seule une personnalité à moitié ratée et ne s'exprimant qu'à grand-peine avait été scellée dans l'anneau? Pourquoi prenait-on pour acquis que les expériences des magiciens anciens avaient toutes été couronnées de succès?

Parler à Qader! Télem essaierait, bien entendu. Il y avait quelque chose dans l'anneau de jade, une lueur rouge vacillante que l'on pouvait parfois apercevoir, la nuit. Une étincelle d'énergie magique bien frêle, enfermée on ne savait pourquoi. Mais comment la rejoindre et communiquer avec elle? La seule fois où l'anneau avait parlé, Freya semblait l'oublier, c'est quand Télem avait traversé la brume chaotique qui enveloppait Arieste durant le siège. Dans cet endroit étrange où le temps et les dimensions semblaient en partie échapper aux règles habituelles, l'anneau avait réussi à transmettre sa pensée. Mais qu'en serait-il dans d'autres circonstances?

* * *

Pendant deux semaines, Télem fit tout en son pouvoir pour entrer en communication avec Qader. Il médita sur l'anneau, entra en transe, essaya d'appliquer de l'énergie magique sur lui. L'anneau ne réagit d'aucune manière particulière.

Télem traversa ensuite à pied la zone désolée qui entourait Arieste, en espérant que les relents de chaos qui y subsistaient attireraient l'attention du philosophe antique. Sans succès. Il passa même deux nuits dans ce marais putride avec l'espoir de recevoir un rêve de Qader. Pas de résultat.

Il essaya encore de se priver de sommeil; puis de dormir toute une journée; et de s'empêcher de respirer. Toujours rien. L'anneau ne présentait que cette petite lueur rouge un peu vacillante. Enfin, Télem essaya le vin: si l'anneau n'entrait pas en communication avec lui, pensait-il, les vapeurs de l'alcool lui donneraient peut-être de l'inspiration. Il envisageait de tenter une expérience semblable avec des plantes hallucinogènes que lui proposait un apothicaire, lorsque Alys vint le voir.

— Télem, je crois que tu fais fausse route.

— Je ne fais qu'essayer toutes les manières possibles de percevoir l'invisible, répondit-il.

— Peut-être pas. Sais-tu pourquoi toi et moi nous nous complétons?

— Parce que je représente le monde de la logique et de la rationalité, tandis que tu appartiens au domaine de la sensibilité et des émotions.

Alys eut un sourire amusé, mais garda le silence pendant quelques secondes.

—Je n'avais jamais vu les choses sous cet angle, dit-elle enfin. C'est une façon très rationnelle de présenter les choses! Mais c'est un peu ce que je voulais dire.

Télem et Alys étaient assis l'un à côté de l'autre. Télem passa son bras autour du cou d'Alys et l'embrassa tendrement.

—Je pense, reprit Alys au bout d'un moment, que tu abordes le problème d'une façon trop rationnelle.

Télem la regarda avec étonnement.

—Tu cherches, reprit-elle, la réponse aux problèmes du qadérisme là où c'est le plus évident. Tu veux trouver des moyens logiques de franchir la barrière qui te sépare de Qader, alors que ce n'est peut-être pas la meilleure manière de s'y prendre.

—Mais comment, alors? Tu veux que j'invente une théorie, même imparfaite, que je lancerais aux magiciens comme on jette un os aux chiens, pour les calmer et empêcher l'éclatement de la confrérie? Ça ne ferait au mieux que retarder l'inéluctable.

—Non, ce n'est pas ce que je voulais dire. Télem, que sais-tu au juste de l'anneau?

—Bien peu de choses, en fait...

—C'est justement par là qu'il faudrait commencer. Depuis que je te connais, tu te plains de ne pas savoir comment ta mère a obtenu l'anneau, de ne pas savoir d'où il vient, ni quand il a été fabriqué, et par quel hasard tu as été choisi comme héritier spirituel de Qader. Tu ne crois pas que c'est par là que tu devrais commencer?

—Je n'aurai sans doute jamais la réponse à ces questions.

—La mémoire des hommes a peut-être oublié cette époque. Mais la mémoire des choses? Tu ne crois pas que les lieux où Qader a habité sont restés imprégnés de sa présence? Il s'agit d'un des plus grands magiciens de tous les temps. Il nous faut retrouver les lieux où il a vécu, connaître ce qu'il a connu, apprendre son destin. Et à ce moment-là, peut-être seras-tu en mesure de comprendre le message qu'il t'envoie.

—Mais il ne m'envoie rien!

—Parce que tu es aveugle! Il te fait des signes, j'en suis certaine, mais c'est toi qui es incapable de les voir!

—Comment le sais-tu?

—Tu essaies de lui parler depuis deux semaines. La plupart du temps, tu es loin de moi, isolé, en train de te livrer à toutes sortes d'expériences pour entrer en contact avec lui. Mais quand tu es près de moi, il me semble percevoir quelque chose. C'est lointain, c'est confus, mais je suis de plus en plus certaine qu'il cherche à te rejoindre.

—Mais quoi?

—C'est à toi qu'il parle, pas à moi. C'est comme si j'essayais, derrière une porte, de vous écouter parler. Je n'entends que des chuchotements étouffés.

Télem se renfrogna et réfléchit. Il soupesait ce qu'Alys lui disait en lui jouant distraitement dans les cheveux. Au bout d'une minute, il grogna:

— Quel gâchis. La magie ne sert peut-être plus à rien, moi seul suis capable d'avoir une réponse. Cette réponse est là, tous les magiciens attendent que je la leur révèle. Mais voilà, cette réponse, je ne suis même pas en mesure de l'entendre!

Télem était complètement découragé. Alys n'aimait pas le voir dans cet état. Elle le serra très fort contre elle.

— Que proposes-tu? demanda Télem.

* * *

— J'espère que vous n'allez pas tout mettre sens dessus dessous!

C'était Freya, inquiète pour ses précieux manuscrits, qui parlait ainsi. Elle ramassait des parchemins, les mettait en pile à l'écart, essuyant le surplus de poussière du revers de sa manche. Deux visiteurs à la fois dans sa crypte, ça ne s'était jamais vu!

— En principe, cet endroit est un collège de magie spécialisé dans l'étude des écrits de Qader, non? dit Télem.

— Oui, bien sûr. Je diffuse la pensée de Qader à partir d'ici et des gens viennent parfois étudier les manuscrits. Mais les magiciens

24

sont tellement peu nombreux, je n'en ai jamais eu deux à la fois!

—Télem et moi ne travaillerons efficacement que si nous sommes ensemble, intervint Alys.

Freya sembla se résigner. Elle tira son fauteuil un peu à l'écart et s'assit. La discussion était close, mais il était clair que Freya trouvait les deux jeunes magiciens bien impétueux!

Par où commencer? Ni Télem ni Alys n'en avaient la moindre idée. Mais il ne fallait surtout pas que Freya s'en doute, sans quoi elle les mettrait peut-être à la porte de sa précieuse crypte! Les deux magiciens commencèrent par répertorier tous les manuscrits de la main même de Qader. Il y en avait dix-sept, dont certains étaient fort épais. Des semaines de lecture en perspective. De ces manuscrits, six étaient dans une langue inconnue. La formation des jeunes magiciens comprenait une bonne part d'étude des langues anciennes, mais celle-ci n'évoquait absolument rien aux deux apprentis.

Pendant ce temps, Alys essayait de déterminer si la pierre, si les livres avaient gardé une trace de la présence de Qader. Télem ne comprenait pas très bien ce qu'elle entendait par là, mais autant sa formation que sa sensibilité étaient très différentes de celles d'Alys.

—Les pages des livres conservent un peu de la sueur de Qader, finit par dire Alys.

—Et puis?

— Et puis rien. Il n'y a pas grand-chose à en dire. La sueur de philosophe, ça ne parle pas!

La recherche se poursuivit donc. Qader écrivait de manière très organisée, très méthodique. Les marges de ses manuscrits étaient régulières, presque rectilignes. Les deux jeunes entreprirent de feuilleter les manuscrits à la recherche de notes dans les marges. Celles-ci seraient immédiatement visibles et attireraient sans doute leur attention sur des points importants. Ils commencèrent bien entendu par les manuscrits qu'ils pouvaient lire. Leur recherche fut soudaine interrompue par un bruit sourd et étouffé. C'était Freya qui ronflait!

— Il y a une chose que je voulais te demander depuis le début, chuchota Alys. C'est quoi, cette petite porte, au fond de la pièce?

— Celle avec les motifs en bas-relief? Je t'en ai déjà parlé. C'est le tombeau de Qader.

— C'est bien ce que je pensais. Il émane un peu d'énergie magique de cette pièce-là.

— Oui, je le sens bien.

— Mais ce que tu ne sens peut-être pas, c'est que cette magie-là est d'un type bien particulier. Ça ne ressemble à rien que j'aie déjà rencontré. C'est une sorte de magie plus douce... Plus intuitive, plus naturelle, peut-être.

— Je ne te comprends pas.

— Moi non plus, je ne comprends pas! Tu ne crois pas qu'on devrait aller y faire un tour?

C'est l'anneau de Qader qui permet d'ouvrir la porte, si je me souviens bien?

— Tu es folle?

Cette fois, Télem avait presque oublié de chuchoter. Les deux magiciens se tournèrent vers Freya, pour s'assurer qu'elle dormait toujours.

— Il n'y a qu'à lui envoyer un sortilège pour ne pas qu'elle se réveille, répondit Alys.

— Tu veux que moi, j'ensorcelle une mage?

— Je vais le faire, moi, répliqua Alys.

Et se tournant, elle fit un signe et exécuta le sort. Freya ne se réveillerait pas inopinément. Télem eut un long soupir, puis un haussement d'épaules. Il retira l'anneau de son doigt et s'approcha de la porte.

— Il suffit de passer l'anneau dans les sillons du bas-relief, dit Télem, joignant le geste à la parole. Tu vois, ces entrelacs forment une copie géante du monogramme de Qader.

La porte s'ouvrit. Elle donnait sur un caveau dont le centre était occupé par un tombeau massif fermé d'un gisant de marbre blanc à l'effigie de Qader. La crypte était éclairée par une lueur magique venue de nulle part. Les deux jeunes gardèrent un moment un silence respectueux. Ce n'était que la seconde fois que Télem voyait le tombeau de son maître spirituel. Quant à Alys, c'était la première fois. Ce fut elle qui rompit le silence.

— Les grands penseurs ne devraient jamais

27

mourir. Tu te rends compte de tout le savoir, de toute la sagesse qu'il a emportée avec lui?

Télem, rempli de tristesse, ne trouva rien à répondre. Alys garda elle aussi le silence, mais cette fois, c'était pour se laisser imprégner des forces magiques émanant de cette lumière surnaturelle qui baignait la pièce.

— C'est comme si elle scintillait, dit-elle au bout d'un moment. La lumière, je veux dire. Il y a une qualité particulière en elle. On dirait...

Alys chercha ses mots quelques instants. Une lueur étrange passa dans ses yeux.

— On dirait un soleil de printemps. Oui, c'est ça: c'est comme si nous étions au printemps, que le soleil scintillait à travers les jeunes feuilles des arbres, que le vent était chargé du parfum des fleurs et que les rayons nous réchauffaient la peau.

Télem envia le talent d'Alys pour percevoir le monde caché, les émotions qui émanaient des gens, des animaux et des choses. Il se concentra lui aussi, et guidé par les conseils d'Alys, crut enfin percevoir quelque chose. C'était une sensation d'apaisement, de repos, peut-être même de bonheur.

— Ce n'est pas une magie ordinaire, chuchota Télem, comme s'il craignait de rompre le charme.

— Il s'en dégage une sorte de chaleur qui me va droit au cœur. C'est très étrange. Et très beau.

Télem tenait toujours son anneau à la main.

Il voulut le remettre à son doigt, mais remarqua alors qu'il brillait avec une intensité inhabituelle. Était-ce à cause de la proximité des restes de Qader? À cause de cette forme particulière de magie? Il n'aurait pu le dire.

Il n'y avait plus rien à voir dans la crypte. Les deux jeunes magiciens refermèrent la porte et retournèrent auprès des manuscrits.

— Cette magie, cette lumière, c'était quoi, à ton avis? s'enquit Télem.

— Aucune idée. Mais elle m'a donné un sentiment que je n'avais jamais eu auparavant. C'est ridicule, je sais, mais j'ai eu l'impression que j'étais sur le point de découvrir le sens de la vie, ou quelque chose du genre.

— La réponse se trouve peut-être dans ces manuscrits, répondit-il. Il le faut!

Le regard de Télem fut alors attiré par un petit objet qui semblait servir de signet dans l'un des manuscrits indéchiffrables. Intrigué, il saisit le livre et l'ouvrit à la page qui y correspondait. C'était une plante: une tige, quelques feuilles, une fleur et un bout de racine qui dépassait du bas du livre. La plante devait être emprisonnée dans ces pages depuis des siècles; pourtant, elle était incroyablement verte, comme si elle avait été cueillie le jour même. Alys l'observait avec attention.

— Cette plante... fit-elle. Il en émane la même chose que de la lumière de la crypte! Elle a quelque chose de surnaturel, comme si elle n'appartenait pas complètement à notre monde.

C'était en effet une fleur d'une beauté incomparable, d'une perfection à couper le souffle. Télem se maudit d'être si rationnel. Il avait analysé la plante en termes de feuilles et de racines avant même de se demander si elle était belle! Pourtant, une idée était en train de germer:

— Si nous savons où poussent ces plantes, tu ne crois pas que nous aurons résolu l'un des mystères de la vie de Qader?

— J'en suis convaincue, répondit Alys. Même si elle est séchée, cette fleur est d'une beauté éblouissante. Il s'en dégage...

Alys semblait bouleversée. Elle versa une larme. Télem la serra contre lui.

— Cette fleur, dit-elle entre deux sanglots, c'est la beauté de la nature comme je la recherche depuis ma naissance!

3

Les merveilles de Mirghul

Freya, elle, savait quel était cet obscur langage dans lequel les manuscrits de Qader étaient écrits. C'était du mirghul.

— Mais l'Empire mirghul, demanda Télem, est-ce qu'il n'était pas au service de magiciens cruels qui rêvaient d'asservir tout l'univers? Comment est-il possible que Qader ait pu connaître cette langue?

Freya expliqua qu'on savait très peu de choses sur l'Empire mirghul. Personne ou presque n'avait entendu parler de cet endroit lorsque les Mirghuls avaient commencé à s'emparer du monde. Certains supposaient que ces envahisseurs venaient d'une région qui avait beaucoup souffert de l'interrègne Yttérique. Quoi qu'il en soit, on savait que les Mirghuls n'avaient mis que vingt ans à s'emparer du monde, aidés d'êtres qui, selon les récits de l'époque, n'étaient ni humains, ni démons. Leur règne de terreur avait duré dix ans. Puis, à partir du moment où leur empire s'était écroulé, dix ans avaient suffi avant que les Mirghuls ne retombent dans l'oubli. En tout, l'Empire mirghul n'avait duré que quarante ans. On n'en savait guère plus.

Quant à Qader, il n'y avait aucun doute : il venait bel et bien de la région de Mirghul, bien que le récit de sa jeunesse ait été perdu.

— Ça ne nous avance pas beaucoup, dit Télem. Qu'irions-nous chercher là-bas ? L'endroit n'existe même plus.

— Erreur, répondit Freya. La ville de Mirghul est restée isolée pendant des siècles, mais elle existe toujours. Elle fait même parler d'elle depuis quelques années.

— Vraiment ? Je n'en ai jamais entendu parler.

— C'est très loin à l'intérieur du continent, vers le sud-ouest. Depuis une ou deux générations, elle constitue le point de ralliement des savants et des philosophes.

— Mais pas des magiciens... C'est toujours un endroit dangereux ? demanda Alys.

— Ça dépend. Les gens n'y sont pas mauvais comme ils l'étaient autrefois. Certains considèrent par contre que les travaux de tous ces savants vont trop loin.

Selon Freya, des sciences comme la physique, la chimie et la médecine y enregistraient des progrès considérables. Les savants et les gens intéressés par les idées neuves affluaient de partout dans le monde pour s'y rencontrer.

Mais, dans cet endroit où seuls comptaient les faits et le raisonnement déductif, les magiciens n'étaient guère à leur place.

Freya ajouta que, de l'avis de plusieurs, ce progrès accéléré des sciences n'était pas nécessairement une bonne chose. Quoi qu'il en soit, les habitants de Mirghul n'étaient plus les barbares qui avaient terrorisé le monde entier six cents ans plus tôt et ils étaient animés des meilleures intentions dans leur quête du savoir.

Cet endroit intriguait profondément Télem qui, comme toujours, était intéressé par les techniques et les sciences. Cela lui rappelait les années qu'il avait passées à travailler dans une forge après la mort de sa mère. Alys était moins enthousiaste, mais il fallait admettre que la ville de Mirghul était le seul indice dont ils disposaient pour remonter aux origines du savoir de Qader.

Le départ vers Mirghul fut donc décidé. Télem et Alys partiraient seuls. Selon Freya, ce qui comptait, dans cette quête, c'était moins le nombre ou la force des participants que leur capacité à percer les secrets de Qader.

— À vous deux, vous formez l'une des équipes de magiciens les plus étonnantes qu'il m'ait été donné de voir, expliqua-t-elle. Vous vous en tirerez très bien seuls.

* * *

Comme l'avait prédit Freya, le voyage vers Mirghul se fit sans encombre. Les trois semaines de voyage à cheval furent même d'un ennui prodigieux. À l'occasion, le soir, lorsqu'ils étaient arrêtés dans une auberge ou qu'ils campaient, Télem interrogeait l'anneau de Qader. Il espérait vaguement qu'à l'approche de Mirghul, l'anneau se manifesterait davantage. Il y avait quelque chose de décourageant dans le mutisme de l'anneau.

Quant à Alys, l'excitation la gagnait davantage à chaque étape. Elle repensait à cette fleur merveilleuse et à la lumière dans la crypte et elle se réjouissait à la pensée de découvrir bientôt l'endroit où ces choses existaient, où l'homme, l'arbre et la fleur ne faisaient qu'un.

Les deux voyageurs n'avaient apporté avec eux que peu de choses. Il s'agissait en effet de reconstituer la pensée d'un ancien philosophe, et non d'affronter les terribles magiciens noirs! En plus des deux chevaux, Télem avait son vieux manuscrit écrit de la main même de Qader, document qui lui avait été donné après sa victoire sur les Ducs-magiciens à Arieste dix-huit mois plus tôt. Il emportait aussi Aradril, l'épée magique qui lui avait été confiée avant son départ vers Arieste par le vieux forgeron Rethren. Télem ne s'attendait pas à devoir combattre en chemin, mais les pouvoirs de guérison de cette singulière épée seraient pratiques en cas d'accident. Par un paradoxe étonnant, Télem avait déjà sauvé certains de ses ennemis à l'aide de l'épée même avec laquelle il avait été forcé d'en tuer d'autres.

* * *

On était déjà à la mi-juillet lorsque Alys et Télem atteignirent Mirghul. C'était une toute petite principauté située loin des grands centres de civilisation. Quelques forêts exploitées, quelques champs cultivés, puis une ville de dix mille habitants qui rassemblait des paysans, des artisans, des marchands et des philosophes. Le village le plus proche se situait à six jours de marche. Cet isolement était en soi une anomalie, et Télem se demandait ce qu'il trouverait dans cette ville si singulière.

Mirghul était en effet une ville étonnante à plus d'un point de vue. Bien qu'elle ne semblât pas avoir un seul ennemi en raison de son isolement, elle était puissamment fortifiée. Aux portes de la ville, les gardes ne portaient pas de piques ni de hallebardes, comme il était coutume ailleurs, mais des tubes creux en métal qui, à ce qu'on disait, servaient à projeter à distance des billes de plomb grâce à une poudre explosive. Télem avait du mal à imaginer qu'une telle arme soit réellement efficace.

La ville bouillonnait d'activité. La place publique était constamment occupée par des savants et des philosophes venus pour partager leur savoir et offrir leurs services. On y édifiait également de nombreux bâtiments publics avec des techniques nouvelles. La taille des voûtes de ces édifices défiait l'imagination. De plus, l'équipement utilisé pour les ériger était d'un type que Télem n'avait jamais vu nulle part: échafaudages audacieux, grues, poulies et systèmes d'engrenages en bois qui dépassaient en complexité tout ce que Télem avait pu voir jusque-là. Freya avait raison: Mirghul n'était pas un endroit banal, et il était difficile de voir jusqu'où cette activité technique et intellectuelle mènerait tous ces savants.

La journée achevait; Télem et Alys louèrent une chambre dans une auberge. Contrairement à la plupart des auberges, celle-ci n'était pas fréquentée par des marchands ou des paysans locaux à la recherche d'alcool et de jeux de hasard, mais surtout par des philosophes venus des quatre coins du monde. L'aubergiste se targuait d'ailleurs d'avoir les meilleures bières des nombreux pays d'où venaient ses clients, pour qu'ils ne se sentent pas dépaysés!

Les clients, ayant deviné que Télem et Alys étaient eux aussi des gens de grande culture, voulurent savoir quelle était leur spécialité. Il était hors de question de faire allusion à la magie. Les magiciens étaient généralement associés dans l'esprit des gens aux grandes guerres passées et on les craignait. Alys répon-

dit évasivement, disant que tous deux s'inté-
ressaient aux sciences naturelles et prétexta la
fatigue du voyage pour monter à sa chambre.
Télem la suivit, trop heureux d'avoir lui aussi
un prétexte pour se soustraire à ces questions
embarrassantes.

* * *

La place publique de Mirghul était un endroit unique. Les philosophes, les paysans et
les savants de toutes sortes se disputaient les
rares espaces disponibles dans une cohue
indescriptible. Les étals de légumes côtoyaient
ceux couverts de manuscrits poussiéreux.
L'odeur des mixtures des alchimistes se mélan-
geait à celle des épices. Les paysans vantaient
les produits de la terre, les savants, ceux de
l'esprit. Les sens de Télem et d'Alys étaient
sollicités de toutes parts.

— Qu'est-ce que cette machine? demanda
Télem à un homme qui sortait des feuilles de
papier d'un lourd coffre de bois bardé de fer.

— Une presse à imprimer, répondit celui-ci.
Je vais vous faire une démonstration.

L'objet était une sorte de table surplombée
d'un poids activé par une manette.

— Regardez, poursuivait l'homme en retirant une plaque qui était insérée dans la
partie supérieure de la presse. C'est ça toute la
beauté du système: le texte que l'on veut

reproduire sur une page de livre est déjà gravé. Maintenant, regardez bien. J'enduis la plaque d'encre et je l'insère à nouveau dans la presse. Je dépose une feuille de papier blanche ici, vous voyez?

— Oui, je vois, répondit Télem. Mais à quoi cela sert-il?

— J'y viens, regardez bien, Messire. J'abaisse la manette et la plaque couverte d'encre vient appuyer sur la feuille blanche. Je remonte la plaque, et qu'est-ce que vous voyez?

— Oh! dit Alys! Maintenant je comprends! Tout le texte est copié d'un seul coup!

— Et je peux répéter l'opération à l'infini. Avoir dix copies d'un même texte en quelques minutes! Des centaines en quelques jours. Avec cette invention, personne n'aura plus de prétexte pour ne pas avoir lu les ouvrages des grands philosophes!

— Je peux voir cette page? demanda Télem.

— Mais certainement!

Télem examina le travail de l'artisan pendant quelques secondes. Les lettres étaient toutes magnifiquement formées. Pas un seul copiste au monde n'aurait pu faire un travail d'une telle régularité. Surtout pas s'il avait copié la page à une vitesse comparable à celle de l'invention de l'artisan. Les manuscrits étaient parfois tellement difficiles à lire!

— Et alors? s'enquit l'artisan.

— Impressionnant, je dois l'admettre.

— Je vois que vous êtes un homme de lettres, reprit l'imprimeur. J'ai ici plusieurs livres qui pourraient vous intéresser. Ils ont tous été produits avec ma nouvelle technique.

Télem et Alys regardèrent les titres des livres avec curiosité. Certains titres étaient connus : *Chronique des guerres Yttériques* ou encore les célèbres *Spéculations sur l'origine des choses et des gens* du philosophe antique Gruznek. Ces livres étaient étudiés au Collège de magie de Gort, bien qu'ils ne fussent pas directement reliés à la magie. D'autres titres paraissaient avoir été écrits plus récemment : *Expériences d'alchimie, La poudre explosive et ses usages, Traité de mécanique appliquée à l'architecture* et *Guide de l'imprimeur*. Ce dernier livre était l'œuvre de l'artisan lui-même : son nom, Gus Temberg, était écrit en lettres dorées sur la tranche du livre.

— Il se vend bien, votre livre ? demanda Alys.

— Oh oui, très bien, comme tous les autres traités savants, d'ailleurs. Mon invention commence à se répandre partout dans le sud du continent.

— Oui, je suppose que les idées voyagent vite, quand elles peuvent être diffusées aussi rapidement.

Télem regardait en fait le travail de l'artisan avec un mélange d'admiration et d'envie. C'était une invention fantastique. Les livres copiés à la main étaient rares et chers ; avec l'imprimerie, on en trouverait bientôt partout et à peu de frais. Avec des moyens simples, cet inventeur en faisait plus pour faire reculer l'ignorance que tout l'art des magiciens. Freya avait raison : la magie ne servait plus à rien !

Les deux jeunes gens poursuivirent leur visite. D'autres savants et d'autres artisans vantaient leurs inventions. Un ingénieur prétendait avoir trouvé une nouvelle manière de construire des voûtes plus grandes et plus fortes. Il montrait des maquettes de ponts et d'aqueducs. Un autre expliquait le fonctionnement d'une scie verticale actionnée par la force d'un âne. Il prétendait qu'un moulin à eau pouvait remplacer l'âne pour actionner la scie. Un médecin relatait, en montrant des pinces et des instruments tranchants de son invention, comment il était parvenu à sauver d'une mort certaine des soldats blessés aux poumons ou au crâne.

Soudainement, un cri se fit entendre :

— Au voleur, au voleur ! Arrêtez-le !

Au même moment, Alys fut bousculée par un homme qui courait en portant un jambon sous le bras. Le voleur était suivi de près par un soldat de la garde de Mirghul et un boucher armé d'un couteau. Ils s'arrêtèrent à côté des deux magiciens.

— Halte ! cria le soldat en pointant vers le fuyard un tube de métal du genre qui avait tant intrigué Télem à l'entrée de la ville. Halte ou je fais feu !

Le voleur ne semblait toutefois pas vouloir

ralentir. Les gens reculaient pour lui laisser le passage, à l'étonnement de Télem.

Un bruit de tonnerre fit soudain sursauter les deux jeunes magiciens. Le voleur parut trébucher, tomba et ne bougea plus. Le silence se fit. De la fumée sortait du tube du soldat et il flottait une odeur de soufre.

— Qu'est-ce que c'était? demanda Alys, toute pâle. Qu'est-ce qui s'est passé?

— C'était un voleur, Mademoiselle, répondit le soldat. Il résistait à son arrestation et j'ai dû faire feu sur lui.

Le soldat et le boucher se frayèrent un chemin à travers l'attroupement qui commençait à se former autour du corps du voleur. Alys et Télem échangèrent un coup d'œil et décidèrent des les suivre. D'autres soldats commençaient aussi à accourir.

Un médecin — celui-là même qui vantait ses talents pour guérir les blessures aux poumons et au crâne — était déjà penché sur le voleur avec un étrange cornet entre son oreille et la poitrine du voleur, toujours immobile.

— Je n'entends pas son pouls, dit le médecin au bout d'un moment. Il est mort!

Un murmure parcourut la foule.

— J'aurai besoin de témoins pour l'enquête! cria le soldat en regardant autour de lui. Toi! Tu seras notre témoin!

— Moi? répondit Alys.

— Oui, toi. Tu as vu qu'il résistait à son arrestation, non? Tu te présenteras à l'hôtel de ville demain matin à dix heures et quart et tu demanderas à parler au juge Sighert de la part du sergent Ghopren de la garde de Mirghul!

— Mais comment saurais-je qu'il est dix heures et quart?

— Tu regarderas l'horloge sur le beffroi de l'hôtel de ville. D'autres questions?

— Moi, j'en ai une, demanda Télem. Comment le voleur a-t-il été tué?

— Ah! répondit le soldat. Ça ne fait pas longtemps que vous êtes à Mirghul, n'est-ce pas? Je l'ai tué d'un bon coup d'arquebuse. C'est pas nouveau. Ça fait vingt ans que les armureries de Mirghul les produisent et ça commence à bien se vendre dans les royaumes voisins, à ce qu'on dit. On remplit le tube de poudre explosive, on met un plomb, on allume la mèche et le plomb part. Ça tue un cheval à cinquante pas! Bon, c'est pas tout, ça. La loi vous oblige à être à l'hôtel de ville demain matin.

4

La fresque de Qader

— Quel endroit épouvantable! se plaignait Alys. On jurerait que les gens ici sont rendus fous par l'influence du chaos!

— Je trouve ça plutôt impressionnant, au contraire, répondit Télem. Il y a des choses qui bougent ici. Avec toutes leurs nouvelles techniques, ces savants et ces artisans-là pourraient bien parvenir à réaliser ce que nous, les magiciens, n'avons jamais été capables de faire: rendre les gens plus prospères et plus heureux.

La scène se passait dans la chambre des deux jeunes magiciens à l'auberge, en soirée. Le reste de la journée sur la place du marché ne leur avait rien appris de neuf sur Qader et ils n'avaient pas trouvé la trace d'un seul magicien. Mais qu'importe: face à toutes ces nouvelles techniques, il y avait de quoi être troublé.

— Les arquebuses! Tu penses vraiment que c'est cette invention infernale qui...

— Je n'ai pas dit ça. Mais tu as vu la presse à imprimer? C'est une révolution! C'est la fin de l'ignorance, des superstitions...

Il y eut un moment de silence. Ils se serrèrent très fort l'un contre l'autre et échangèrent des baisers. Au bout d'un moment, ils étaient tous les deux étendus sur le lit, Télem en train de jouer dans les cheveux d'Alys.

— Tu as raison, Télem, c'est une révolution. Il y a un monde neuf qui est en train de se bâtir ici. Mais il me fait peur, ce monde-là. Tu as vu le mal que quelques magiciens renégats ont pu faire, parfois même en croyant agir pour le bien de l'humanité? La magie est un art qui donne des moyens d'agir avec force sur l'univers. Les sciences que tous ces savants sont en train de créer fournissent de nouvelles façons d'agir.

Il y eut un autre moment de silence, tandis qu'Alys cherchait ses mots. Télem s'assit sur le bord du lit, suivi par sa compagne.

— La magie, les techniques sont seulement des moyens, reprit-elle. Des moyens basés sur la raison, sur la domination du monde matériel. Si la magie disparaissait, le monde serait plus triste, je pense. Mais les savants que nous avons vus aujourd'hui nous remplaceraient.

— Il y a peut-être moyen de faire coexister les sciences et la magie, suggéra Télem.

— La question n'est pas là. Le vrai problème, c'est de savoir à quoi on utiliserait ces sciences. Et je ne crois pas que les savants puissent nous donner une réponse satisfaisante à cette question-là. Les gens d'ici rêvent de construire un monde de pierre et de métal, un monde qui sera dirigé par une horloge et où on comparaîtra devant des magistrats. Mais dans quel but?

— Rendre les gens heureux, peut-être...

— Pas uniquement de cette manière! C'est impossible! s'emporta Alys! Les émotions, la sensation d'appartenir à un monde où nous sommes à notre place, la vie spirituelle, ça aussi c'est important!

— Je le sais, Alys. Tu me le répètes depuis que je te connais. Je ne sais pas quoi dire, tu sais que nous avons des sensibilités différentes. Communiquer avec la nature, c'est un beau projet, mais moi, je suis pressé. Il faut que je trouve au plus vite une théorie qui va sauver la magie et peut-être nous sauver de ce qui te fait peur dans les travaux de ces savants-là...

— Ils ne te font pas peur, à toi?

— Oui, un peu. À cause de l'arquebuse. Qui sait comment ça va finir, tout ça? Ah! Si seulement Qader pouvait me parler! Nous sommes venus ici pour avoir des réponses, et nous nous posons maintenant deux fois plus de questions!

Ni Télem ni Alys ne savaient lire l'heure sur une horloge mécanique du type utilisé sur le beffroi de l'hôtel de ville. Ils étaient donc arrivés en avance pour leur rencontre avec le juge et ils étaient confinés dans une grande salle à l'entrée de l'édifice.

L'hôtel de ville de Mirghul était un bâtiment très ancien. Il avait été construit dans les premières années de l'expansion de l'Empire mirghul, à l'époque où les magiciens et le chaos ne s'étaient pas encore complètement emparés de l'endroit. Le hall d'entrée était fort grand, ses voûtes très hautes, d'une hauteur d'environ trois étages. Entre les contreforts des voûtes, des fresques représentant la vie quotidienne et des notables de l'époque couvraient les murs.

Pour tuer le temps, Télem et Alys avaient entrepris d'observer ces fresques en détail. Mais leur excitation avait commencé à monter lorsqu'ils avaient remarqué que certaines fresques étaient accompagnées de symboles secrets de magiciens. Celle qu'ils venaient juste de découvrir montrait un homme âgé penché sur un manuscrit. Certains éléments du dessin — un crâne déposé sur le même pupitre que le livre, par exemple — donnaient à penser qu'il s'agissait là d'un magicien. Même si la fresque avait été quelque peu endommagée par la fumée des bougies et l'humidité depuis six siècles, un examen attentif permettait de découvrir par ailleurs le symbole cabalistique du *thâr* sur le dos du livre. Ce symbole désignait habituellement le monde caché, ou un monde en dehors du monde. À vrai dire, c'était un symbole tombé en désuétude, son sens presque oublié.

—Viens voir ici, dit Alys, qui avait poussé son examen un peu plus loin et qui avait trouvé une sorte d'alcôve dans le mur épais de l'hôtel de ville. Que dis-tu de ça?

C'était de loin la fresque la plus impressionnante, mais c'était également celle dont le sens était le plus obscur. On y voyait un homme debout, tenant dans une main un livre et dans l'autre une épée. Il était habillé à la manière d'un philosophe plutôt qu'à celle d'un soldat. Les nombreuses dorures de ses vêtements ne laissaient aucun doute sur son statut social élevé.

—Je me demande qui c'était, dit Télem. Certainement quelqu'un d'important.

—C'est la forêt en arrière-plan qui m'impressionne. Tu as vu ces arbres? On dirait qu'ils scintillent, comme si l'artiste avait voulu nous faire sentir que ce n'étaient pas des arbres ordinaires.

—Étrange, oui. Toutes les autres fresques représentent des scènes urbaines. Ces petits personnages qui entourent l'homme sont bizarres aussi. On dirait des petits démons mais pourtant ils ne semblent pas bien méchants.

—Et tu as vu cette jeune femme, là, à

l'arrière-plan? On dirait qu'ils viennent d'être séparés tous les deux.

— Mais il y a aussi ce livre qui... Oh! Là! Regarde Alys! Le monogramme de Qader!

Pas de doute: l'homme représenté là était bel et bien Qader en personne! Ainsi donc, Qader avait été un personnage important dans l'histoire de Mirghul? Étonnant! Télem avait toujours eu l'impression qu'il avait plutôt cherché à fuir les destructions et la haine semées par l'Empire mirghul. Revenant de sa surprise, Télem prit Alys par le cou et lui donna un baiser aussi fougueux qu'enthousiaste.

— Alys, c'est fantastique! Tu viens juste de découvrir ce que nous cherchions!

— Je ne voudrais pas te décourager, mais le sens de tout ça est loin d'être clair...

Les deux jeunes magiciens n'eurent pas le loisir d'approfondir la question, puisqu'un garde entra dans la pièce et cria d'une voix sonore:

— C'est l'heure! Le juge va vous recevoir!

— Dis donc, demanda Télem au garde en entrant dans la salle du tribunal, la fresque, dans la crypte là derrière, elle représente quoi?

— Oh! C'est une légende des temps anciens. Une sorte de sorcier, je crois, qui venait de la vieille forêt d'Avalon. Mais entrez, le juge vous attend. Ne vous inquiétez pas, votre témoignage n'est qu'une formalité.

* * *

La vieille forêt d'Avalon! Les deux jeunes magiciens tenaient un nom, mais personne ne semblait savoir ce que ça voulait dire exactement, et encore moins où elle se trouvait. Ils interrogèrent les paysans au marché, les artisans, les philosophes qui avaient beaucoup voyagé: rien. Ils questionnèrent ensuite les aubergistes et les membres de la garde de Mirghul: toujours rien. La plupart des gens, surtout les vieux, connaissaient cette légende du sorcier venu de la forêt d'Avalon, mais personne ne semblait en savoir davantage. Certains regardaient même les deux jeunes gens avec suspicion:

— Mais pourquoi iriez-vous là-bas?

La journée tirait à sa fin et autant Télem qu'Alys étaient découragés lorsqu'un savant à l'air un peu gâteux leur suggéra d'aller consulter la bibliothèque impériale de Mirghul. Les deux jeunes gens décidèrent d'y aller le lendemain.

* * *

La bibliothèque impériale était située dans une des ailes de l'hôtel de ville. Elle représentait une somme de connaissances inouïe, surpassant même la crypte secrète de Freya à Arieste. L'essentiel de la collection de manuscrits datait des débuts de l'Empire mirghul, mais des ouvrages plus récents, imprimés plutôt que copiés à la main, figuraient également sur les rayons. Il y avait des livres dans tous les domaines et Télem comprenait maintenant pourquoi les savants et les hommes de lettres de tous les pays avaient choisi un endroit perdu tel que Mirghul comme point de ralliement.

— Regarde ça, chuchotait Alys, il y a même des traités de magie.

— Pas mal poussiéreux. Nous, les magiciens, avons peut-être été trop discrets : je pense que ces savants ne croient même plus en la magie, maintenant.

Le bibliothécaire apparut au bout d'une rangée de rayonnages. C'était auprès de lui que Télem et Alys s'étaient renseignés pour savoir où trouver de l'information sur Avalon. Il leur avait indiqué la section des cartes géographiques.

— Vous vous êtes trompés, dit-il. Les mappemondes se trouvent deux rangées plus loin. Suivez-moi, je vais vous montrer.

Les deux jeunes gens le suivirent en maugréant : c'était volontairement qu'ils s'étaient trompés, faisant un détour pour voir ce que certains rayons particulièrement poussiéreux pouvaient contenir.

— Voici les cartes, dit le bibliothécaire en désignant un amas de tubes et de parchemins enroulés. Prenez-en grand soin, la plupart sont vieilles de plusieurs siècles.

Télem et Alys étalèrent les cartes sur une table de lecture et se mirent au travail. Bientôt, entièrement absorbés par leur tâche, ils ne remarquèrent même plus le bibliothécaire qui les surveillait discrètement de son bureau, ni même les savants qui entraient de temps à autre dans la bibliothèque.

— J'ai trouvé! cria Télem au bout d'un moment. Regarde!

Sur une très vieille carte qui représentait le monde tel qu'il était voilà deux mille ans, on pouvait voir une grande forêt désignée sous le nom d'Avalon.

— Mais elle recouvre presque le tiers du continent, ta forêt! dit Alys. Regarde, dit-elle en comparant à une carte récente, elle recouvre même Mirghul et toute la plaine qui l'entoure!

— Il doit y avoir une autre carte un peu moins ancienne, dit Télem en soulevant des cartes pour trouver celle qu'il cherchait. Ah, voilà. Celle-ci date de mille ans, regarde, elle a été faite immédiatement après l'interrègne Yttérique.

— Et la forêt d'Avalon ne recouvre plus que le quart du continent! Attends, j'ai ici une autre carte. Elle date de la fondation de l'empire Mirghul!

— La forêt y est un peu plus petite, mais pas tant que ça. Comment se fait-il que nous n'ayons jamais entendu parler de cet endroit dans nos cours au Collège de magie de Gort?

— Oh! Regarde cette carte-ci! dit Alys en déroulant une mappemonde que les deux jeunes gens n'avaient pas encore regardée. La forêt n'existe plus!

— Si, regarde, là. Un tout petit point, au nord-est de Mirghul!

— C'est tout ce qu'il en reste? De quand cette carte date-t-elle? Oh! Elle a été faite juste après la chute de l'Empire mirghul... Voilà donc à peu près 550 ans.

— Bizarre, dit Télem. Je me demande quelle catastrophe a bien pu détruire une forêt qui recouvrait le cinquième du continent. Les magiciens de Mirghul ont fait beaucoup de dégât et le chaos a détruit bien des choses, mais pourtant, la catastrophe avait été bien moins grave que celle provoquée lors de l'interrègne Yttérique. Et pourtant la forêt d'Avalon a survécu à l'interrègne et pas à l'Empire mirghul.

— Une chose est certaine, il y a là une énigme. Il faut se rendre à cette forêt.

— Ça, c'est très clair. D'autant plus que ce n'est pas loin. Une journée à cheval, pas plus.

— Bizarre, ça: un petit bout de forêt au milieu d'une plaine immense et personne ne le sait dans la ville? Peut-être que ça n'existe plus?

— Nous verrons bien. Nous partons demain matin à la première heure! conclut Télem.

5

Aux portes d'Avalon

De la forêt d'Avalon, il ne restait qu'un tout petit bois s'étendant, en autant qu'on puisse en juger, sur deux milles de long et un de large. Il se cachait au fond d'une vallée découpée dans la plaine qui entourait Mirghul à perte de vue. Un petit hameau, qui portait lui-même le nom d'Avalon, se trouvait non loin du bois. Quelques paysans y vivaient misérablement en cultivant des patates dans une terre rocailleuse.

On ne voyait pas souvent des étrangers à Avalon et les habitants du hameau se disputèrent l'honneur de les inviter chez eux. Car si ces paysans étaient pauvres et arriérés, ils se montraient d'une hospitalité et d'une générosité exemplaires. L'arrivée des deux jeunes magiciens servit de prétexte à une fête au village et le traditionnel menu de patates bouillies fut accompagné de tranches de lard et de généreuses rasades de bière brune, des mets qui ne devaient pas faire partie de l'ordinaire de ces pauvres gens. Les deux jeunes magiciens, qui n'étaient guère habitués à l'alcool, ressentaient une légère ivresse et partageaient la bonne humeur irrésistible de leurs hôtes.

Durant le repas, ils répondirent de bonne grâce aux questions des habitants d'Avalon, les plus jeunes surtout, qui désiraient avoir des nouvelles du reste du monde. Pour les habitants de ce hameau situé au milieu de nulle part, chaque récit provoquait l'étonnement et était chargé de mystère. Alys regardait avec tendresse ces paysans qui avaient gardé une faculté trop rare chez les adultes qu'elle connaissait : l'émerveillement devant les choses simples.

Puis une femme alla chercher une mandoline, un homme un violon et tous les jeunes gens du village se mirent à danser. Certains des plus vieux sortirent des dés et entreprirent de jouer quelques maigres piécettes. Une ou deux heures passèrent ainsi. On mit les enfants au lit et ceux qui restaient écoutèrent des chants des temps anciens, des airs tristes et mélancoliques, interprétés par un jeune homme qui avait un don poétique certain, puisque certaines des plus belles chansons étaient de sa composition.

Lorsque l'homme cessa de chanter, il s'adressa aux deux jeunes magiciens et leur demanda :

— Mais dites-moi, nous ne savons toujours pas ce qui vous amène à Avalon?

Une vingtaine de têtes curieuses se tournèrent vers Télem et Alys.

— Nous voulons voir la forêt, répondit Télem.

Le sourire des paysans se figea. Plusieurs prirent un air sombre. Télem, alarmé, se demandait s'il n'avait pas dit un mot de trop lorsque le chanteur reprit, sur le ton de la plus profonde tristesse :

— Pourquoi voulez-vous aller dans la forêt? La plupart de ceux qui sont allés en Avalon n'y ont trouvé que la désolation, le désespoir, la mort parfois.

— Vous n'allez jamais dans la forêt? demanda Alys.

— Bien peu d'entre nous y sont allés. Encore bien moins en sont revenus. Mais ceux qui sont revenus, parfois après plusieurs années de disparition, en ont gardé le souvenir d'un monde étrange, cruel et beau. La mélancolie ne les a jamais quittés par la suite. Plusieurs ont dépéri au fil des ans et sont morts de désespoir.

Le chanteur versa une larme. Il semblait avoir le plus grand mal à maîtriser ses sanglots. Ses yeux regardaient dans le vague. Sans mot dire, le jeune homme se retourna et quitta la maison où avait lieu la fête.

— Il est l'un de ceux qui sont revenus de la forêt, expliqua l'un des paysans qui avait noté les regards interrogateurs des deux jeunes voyageurs. Une partie de son âme est restée là-bas, mais en échange les fées lui ont donné le talent de composer des vers.

Ni Télem ni Alys n'osèrent demander ce que pouvait bien être une fée. La fête reprit et se poursuivit jusque tard dans la nuit, mais l'ambiance resta assombrie par le départ du chanteur.

* * *

—Vous êtes certains que vous voulez y aller?

Le paysan qui avait hébergé Télem et Alys les avait accompagnés aux limites de la forêt. Il avait sans cesse tenté de les dissuader d'y pénétrer, durant les quelques minutes qu'avait duré le trajet.

—Nous devons absolument nous y rendre, répondit Télem. D'ailleurs je vois mal comment nous pourrions nous perdre dans un aussi petit boisé.

—Petit... Vu de l'extérieur, peut-être. Mais certains y sont restés des années sans jamais voir deux fois le même endroit. Bon, je n'insiste pas plus. Mais j'espère que vous savez ce que vous faites.

—Nous ne sommes pas venus jusqu'ici pour rien, répondit doucement Alys.

—Bon. Alors, nos routes se séparent ici, conclut l'homme. Bonne chance!

Télem et Alys remercièrent le paysan pour son hospitalité et pénétrèrent dans la forêt. Comme elle n'était pas grande, ils prévoyaient en faire le tour en une seule journée, ou peut-être deux, s'ils trouvaient quelque chose d'intéressant. Ils avaient apporté leur équipement, afin de faire face à toutes les éventualités, mais ils avaient laissé les chevaux au village pour pouvoir explorer le boisé plus librement.

Ils ne tardèrent pas d'ailleurs à se féliciter de cette décision: le sol de la forêt devenait de plus en plus spongieux. Après une quinze minutes de marche, le sol était partout entre-coupé de fondrières, de buissons d'épines et de ravins qui rendait leur avance difficile. Après une demi-heure de marche, ils en étaient réduits à suivre quelques vagues sentiers serpentant entre des étangs où pourrissaient des troncs d'arbres brisés.

— Je me demande ce que Qader a bien pu venir faire ici, remarqua Télem en pestant contre la boue malodorante qui lui collait aux chaussures.

Il y avait maintenant près de deux heures qu'ils marchaient, et ils étaient de toutes parts entourés de débris putrescents, d'eau verte et d'étendues de fange. Il n'y avait pas un seul arbre vivant à perte de vue et les deux magiciens peinaient sous un soleil de plomb.

— C'est comme s'il n'y avait plus de vie du tout, ici, dit Alys.

— C'est incroyable! s'exclama Télem. Il n'y a

que du marécage à perte de vue! Pourtant, hier après-midi, en entrant dans la vallée, on voyait la forêt au complet, et il n'y avait aucun marécage au centre!

— Oui, on dirait bien que nous sommes perdus au milieu d'un bois qui fait seulement un mille de large!

Ils marchèrent encore quelque temps, mais le marais semblait ne jamais devoir finir. Télem proposa enfin l'usage d'un sortilège pour s'orienter. En observant les lignes de force de la magie dans l'éther et en les suivant, ils parviendraient sans doute à se tirer de ce mauvais pas. Alys, davantage habituée à ce genre d'exercice que Télem, ferma les yeux, se concentra quelques secondes, mais sortit de sa transe presque aussitôt, visiblement confuse.

— Qu'y a-t-il?

— Je n'y comprends rien... Les lignes de force sont embrouillées, elles font des genres de vrilles et partent dans toutes les directions.

— Mais voyons, c'est impossible, s'écria Télem, l'éther est une des forces sur lesquelles l'univers est bâti!

— C'est peut-être un des effets du chaos?

Télem en doutait fortement, mais pour s'en assurer, il ferma les yeux, se concentrant intensément. Il ne lui parvint d'abord que des impressions confuses, mais au bout d'un moment, il comprit qu'il n'avait pas affaire au chaos, mais à une chose plus étrange encore.

— Mais où sommes-nous? cria-t-il en sortant

de sa transe. C'est comme si l'éther était entortillé sur lui-même et allongé en même temps.

— Les anciens pensaient que la Terre était plate, dit Alys. Nous sommes peut-être au bord du monde...

— Ou alors il y a un trou au milieu... Assez de sottises! Si l'éther est brouillé à ce point, ce n'est pas sans raison. Ce marais est une zone de transition. Je pense que nous sommes proches d'un monde différent du nôtre. Et ce monde, je veux le trouver!

* * *

Il était midi et les deux jeunes magiciens pataugeaient toujours dans la boue, lorsqu'un hennissement se fit entendre derrière eux. Ils se retournèrent vivement et se regardèrent, interloqués. Un cheval! Mais que faisait-il au milieu de toute cette putréfaction?

Le cheval n'était nullement intimidé par les deux jeunes magiciens, qu'il examinait avec attention. Alys s'en approcha et lui flatta l'encolure. Le cheval se laissa faire. Il avait presque l'air heureux.

— Si seulement je pouvais faire un peu de magie, je lui demanderais ce qu'il fait ici.

— Je suis même surpris qu'il ne se soit pas noyé dans cette mer de boue, dit Télem. Nous sommes crottés de la tête aux pieds et lui est tout propre.

— Il a peut-être l'habitude de ces marais.

Alys continua à caresser le cheval, tandis que Télem la regardait faire, perplexe.

— Je crois qu'il voudrait que nous le montions, dit-elle au bout d'un moment.

— Tu ne parles pas sérieusement?

— Je te jure, j'ai vraiment cette impression.

— Mais il ne réussira certainement pas à avancer dans toute cette pourriture avec notre poids sur le dos! Et je n'ai pas confiance en ce cheval qui débarque de nulle part.

— Moi non plus, dit Alys. Mais as-tu une meilleure idée?

Télem n'en avait évidemment pas. Avec quelque réticence, les deux magiciens montèrent sur le cheval. Monter sans selle était quelque peu inconfortable, mais le pas du cheval était très sûr et jamais il ne s'enfonçait dans les fondrières.

Alys, rassurée, passa ses bras autour de la taille de Télem, appuya la tête sur son épaule et, vaincue par l'épuisement, s'endormit. Télem ne résista pas au sommeil longtemps lui non plus.

6

Le kelpie

Le soleil était déjà haut dans le ciel lorsque Alys se réveilla. Le cheval marchait toujours d'un pas égal, mais le décor avait changé : le marécage avait fait place à une vieille forêt de chênes. Alys secoua Télem par l'épaule pour le réveiller.

— Regarde comme la forêt est belle !

Quelques rayons de soleil perçaient la frondaison pour faire scintiller la rosée matinale sur le sol couvert de mousse et de fleurs. Les feuilles des arbres paraissaient aussi vertes qu'aux premiers jours du printemps. On entendait le chant des oiseaux, le bourdonnement des insectes, le bruissement des feuilles. L'air était chargé du parfum des fleurs et de l'odeur des plantes aromatiques.

— As-tu déjà vu un endroit aussi magnifique, aussi reposant ? dit-elle doucement.

— On dirait que tout est neuf, que tout scintille... La fresque ! Oui, c'est encore plus beau que sur la fresque de l'hôtel de ville de Mirghul. Mais que se passe-t-il? Tu pleures?

— Non, répondit Alys en essuyant une larme sur la veste de Télem, qu'elle tenait toujours par la taille. Mais c'est tellement... Tellement... C'est l'endroit dont j'ai rêvé toute ma vie, tu comprends?

Télem ne répondit rien, se contentant de se laisser bercer par le pas régulier du cheval.

— Nous ne sommes pas étrangers à cette forêt, si tu vois ce que je veux dire, reprit Alys. Ici, on sent nettement, comme ça serait impossible ailleurs, que l'oiseau, l'arbre, la fleur et l'homme ne font qu'un. C'est comme si tous nos destins étaient liés, et comme si tout prenait un sens nouveau à cause de cette destinée commune.

Alys respira profondément, emplissant ses poumons d'air.

— Ah! Quel bonheur! C'est comme si tout était neuf, que le monde venait tout juste d'être créé!

— Oui, dit Télem. En comparaison, les pays d'où nous venons ont l'air vieux et usés.

Il n'y avait rien d'autre à dire. Les deux jeunes magiciens laissaient avancer le cheval à son gré, insouciants, en se contentant de jouir des sons, des odeurs et de la lumière dans les arbres. Le temps n'avait plus d'importance. De longues heures s'écoulèrent, et pourtant il semblait que cela ne représentait que quelques minutes.

—Entends-tu ce son cristallin? demanda Alys.

—Oui. On dirait une rivière! Il y a une rivière qui coule ici!

Le cheval l'avait entendu lui aussi. Les oreilles dressées, il devenait soudain nerveux, en proie à une immense excitation. Il accéléra un peu le pas en direction du cours d'eau.

—Il doit avoir soif, suggéra Alys.

Mais le cheval avait pris le trot. Toutes ses veines saillaient de sa peau, et le sang y battait tellement fort que Télem sentait le pouls du cheval entre ses cuisses.

—Là! La rivière! cria Télem.

Le cheval courait maintenant au grand galop. Les deux jeunes magiciens furent fouettés au visage par une branche basse, puis leur monture fit au grand saut jusqu'au milieu du cours d'eau.

C'était une rivière modeste au cours paisible, mais les deux jeunes, désarçonnés, étaient menacés par le cheval qui s'agitait et qui se cabrait avec une violence inouïe. Ils surnageaient avec peine, comme dans un torrent impétueux.

—Alys, attention! gargouilla Télem entre deux gorgées.

Le cheval, les yeux injectés de sang et les babines relevées sur de longues dents pointues, se jetait sur Alys. Celle-ci évita les crocs de justesse, mais fut entraînée sous l'eau, coincée sous le poitrail du cheval fou. Télem plongea pour tenter de la libérer, reçut un coup de sabot dans le ventre, mais s'agrippa à la crinière et tint bon, essayant, sans grand succès, d'étrangler l'animal. Le cheval, d'un grand coup de reins, se dégagea des deux jeunes qui burent avidement l'air en remontant à la surface.

— Télem, il revient vers toi! cria Alys d'une voix haletante.

Mais le cheval cessa subitement de mugir, de se cabrer et de faire bouillonner l'eau autour de lui. Les veines de ses yeux se vidèrent de leur sang, ses dents s'arrondirent et ses lèvres reprirent leur position normale. Comme s'il ne s'était rien passé, le cheval gagna tranquillement la berge et quitta les lieux.

Alors seulement les deux magiciens entendirent un air de flûte venant de la rive opposée. Ils y virent un homme barbu, jouant un air endiablé de flûte, tellement concentré sur son instrument qu'il ne se tenait que sur une seule jambe. Ils nagèrent en sa direction.

— Allez, sortez de l'eau, mes amis, dit l'homme en déposant sa flûte. Ah! Vous voilà bien trempés! Tenez, prenez cette couverture pour vous essuyer.

— Merci Monsieur, dit Alys. Sans votre aide, je crois que nous étions perdus.

— Malheur à celui qui chevauche le kelpie! dit l'homme. Dès qu'il approche de l'eau courante, le kelpie court y plonger son cavalier. Parfois, il se contente de lui faire prendre un bain, parfois il le noie et le dévore tout entier, à l'exception de son foie.

L'homme regarda quelques instants les deux jeunes gens qui faisaient de leur mieux pour se sécher, puis il dit, en désignant un panier contenant deux gros poissons :

— Je me nomme Iain. On me connaît comme un grand amateur de saumon et il n'y a ni homme ni bête qui puisse résister bien longtemps à mes airs de flûte !

— Moi, je me nomme Télem, et ma compagne, Alys. Mais qu'est-ce que cette histoire de kelpie ?

En guise de réponse, Iain entonna cette chanson :

Je suis le kelpie !

Si tu chevauches avec moi
Je t'entraînerai dans l'abysse
Si tu ne viens pas avec moi
J'en trouverai un autre.

Je suis le kelpie !

Alors dis adieu à tes proches
Tristes de voir disparaître
Ta jeunesse dans mon antre
Là, pas très loin sous l'eau.

Il se saisit de sa flûte, joua quelques mesures en battant la cadence du pied et conclut :

— Venez chez moi. Il y a du feu, vous pourrez vous sécher. Et nous ferons griller ces saumons!

* * *

Iain semblait connaître un nombre infini de chansons. Tout le long du trajet qui les mena à sa maison, il ne cessa de chanter à la gloire des choses d'Avalon. Ses chants évoquaient les mystères d'un pays où une beauté à couper le souffle côtoyait toujours un inconnu étrange et terrifiant.

Tout était une source d'émerveillement pour Alys. Les plantes, les oiseaux, les écureuils, tout semblait vivre avec une intensité impossible ailleurs. Les fleurs rayonnaient, comme si elles n'avaient jamais rien connu d'autre que le doux soleil d'un printemps sans fin. Le gazouillement des oiseaux était plus joyeux que tout ce qu'Alys avait connu jusque-là. Elle n'avait pas besoin d'un sortilège pour les comprendre : tous, merles, moineaux et fauvettes, vivaient tout simplement dans l'insouciance et la joie, profitant sans arrière-pensée d'une nature généreuse. Quant aux écureuils, ils se pourchassaient, espiègles, de branche en branche, avec la conviction que rien de plus important ne pouvait exister.

C'était comme si aucun des malheurs du monde n'avait atteint cette contrée, comme si ni le mal, ni la destruction et ni la souffrance n'y avaient existé. Et comme si jamais ils ne pourraient exister.

En comparaison, à l'extérieur d'Avalon, le monde où Télem et Alys avaient toujours vécu semblait condamné à être triste et amer, comme si la joie ne pourrait jamais y revenir que de manière fugace et fragile. Comme si un charme qui rendait possible la joie et le bonheur des hommes et de la nature y avait été rompu.

Et pourtant, si ce que Iain chantait était vrai, le malheur existait bel et bien en Avalon. Il y avait le kelpie, bien entendu, mais les légendes parlaient également de géants qui parcouraient les routes, d'ogres qui enlevaient les nourrissons et qui dévoraient les vieillards, des vieilles femmes aux dents vertes qui entraînaient les enfants dans les rivières et les y noyaient, de trolls qui vivaient sous les ponts. La mort existait en Avalon, elle était une source de tristesse, mais elle n'était pas une fin. Elle était porteuse d'espoir et de vie.

Télem et Alys, comme envoûtés, regardaient autour d'eux, s'imprégnaient du calme et de la simplicité d'Avalon, écoutaient la sagesse tranquille du joueur de flûte.

* * *

La demeure d'Iain était une large tour couverte de lierre et terminée par un toit conique

67

en ardoise. Elle se dressait à côté d'un étang alimenté par une cascade aux pierres couvertes de mousse. Un jardin où des légumes magnifiques et des fleurs à l'odeur pénétrante poussaient dans un charmant désordre complétait le tableau.

Une belle grande fille blonde aux cheveux réunis en nattes et aux joues roses profitait des rayons dorés du soleil de la fin de l'après-midi en s'enivrant du parfum des fleurs. En voyant Iain arriver, son visage s'illumina, elle sourit et vint à sa rencontre. Il lui prit la main sans mot dire et lui sourit en retour.

Le temps n'avait pas beaucoup d'importance en Avalon. Le repas et sa préparation se déroulèrent comme dans un rêve. Tout se faisait facilement, comme si des mains invisibles se mettaient elles aussi à l'ouvrage. Quant aux saumons, leur délicate chair rose fit un souper plus qu'honorable. Télem remarqua toutefois que la fille aux nattes blondes ne répondait pas à ses questions et ne disait jamais mot.

Le groupe passa directement de la table à une grande salle confortablement aménagée, où un feu que nul n'avait allumé crépitait joyeusement. Iain posa sa main sur celle de la fille et garda le silence pendant quelques instants, sous le regard interrogateur de Télem et Alys. Puis, sur le coup d'une quelconque inspiration, il se mit à chanter :

Le soir tombe sur la vallée
La nuit est davantage que l'absence de jour
C'est l'heure de l'affliction

Le soleil tombe sous les arbres
L'obscurité cache plus que les feuilles
Le peuple de l'ombre veille

En cette heure tout est possible
La mort m'attend peut-être aujourd'hui
La mort ou la vie

Il y aura d'autres jours
Naître ou mourir, quelle différence?
C'est un passage vers la vie

La fille se retourna vers Iain, le sourire aux lèvres, lui tenant toujours la main. Puis son sourire disparut. Elle se leva et alla ouvrir la porte de la maison. Elle resta dans le cadre de la porte, songeuse, regardant la nuit.

— Elle semble triste, remarqua Alys.

— Aisling aimait beaucoup cette chanson, répondit Iain.

— Aimait? demanda doucement Télem.

— Elle est sourde et muette, maintenant. Elle s'est sacrifiée pour sauver le petit peuple des fées.

— Des fées? Qu'est-ce qu'une fée? demanda Alys.

— Le petit peuple a toujours existé, répondit Iain. Il partage un peu de son essence avec les arbres, avec les fleurs, avec tout ce qui vit.

Iain s'arrêta de parler un instant. Il semblait chercher ses mots. Les deux jeunes magiciens n'osèrent pas briser le silence.

— C'est le petit peuple qui veille sur les bourgeons l'hiver et qui les fait éclore le printemps venu. C'est lui qui plante les graines des fleurs et des arbres et qui les fait pousser. C'est lui qui s'assure que tous ont ce qui leur faut en abondance. Le petit peuple, c'est Avalon, et Avalon, c'est le petit peuple.

Iain prit sa flûte et joua quelques mesures qui évoquaient le vent dans la cime des arbres, le bruit d'un ruisseau, le chant des oiseaux.

— C'est pour sauver tout ça qu'Aisling s'est opposée au peuple de l'ombre. Pour sauver ce qui a été, et ce qui pourrait être. Si Avalon disparaissait, quel espoir resterait-il au monde?

Tout ceci était trop nouveau et trop étrange pour Télem et Alys, qui essayaient vainement de comprendre la nature d'Avalon. Ils préférèrent ne rien dire et laisser l'homme poursuivre ses explications entrecoupées de longues périodes de silence.

— Aisling est sourde, mais elle a l'amitié du petit peuple, maintenant. Elle est sensible à des choses que vous et moi ne verrons jamais. Sa vie se partage entre notre monde et celui des rêves. Les seuls mots qu'elle entende, ce sont ceux que se chuchotent les arbres entre eux. Les mots qu'elle prononce, seules les fées les entendent.

Iain se leva. La mélancolie des dernières

minutes l'avait quittée tout d'un coup et l'homme retrouvait son entrain.

— Venez ! Il est temps de dormir, dit-il en se levant. Suivez-moi, je vais vous montrer quelque chose.

Il les entraîna à la porte de la maison, où se tenait déjà Aisling. Un étroit sentier illuminé par la lune commençait au pas de la porte. Les deux magiciens auraient pourtant pu jurer qu'il n'existait pas à la fin de l'après-midi lorsqu'ils étaient arrivés.

— C'est un des chemins empruntés par le petit peuple, expliqua Iain.

Un couloir traversait la tour de part en part et se terminait par une autre porte, elle aussi ouverte. Iain s'y rendit, suivi de Télem et d'Alys. Le même sentier baigné par la lumière blanche de la lune s'y poursuivait.

— Je laisse toujours les deux portes ouvertes la nuit, reprit Iain. Ainsi, le petit peuple peut passer librement. En échange, les fées apportent la prospérité à ma maison. Venez, maintenant, je vais vous montrer votre chambre.

Avant d'entrer dans la chambre que lui désignait son hôte, Alys se retourna vers le couloir et crut voir passer un petit homme au teint brun, haut de deux pieds environ, qui portait un balai et un seau.

* * *

— Je ne sais pas si tu penses la même chose que moi, dit Alys à Télem au moment où ils se mettaient au lit, mais Avalon me semble...

— Je pense que je sais ce que tu veux dire. Tout ici est tellement étrange. Mais pourtant, jamais je ne me suis senti aussi bien!

— Oui. Peut-être que si tout semble si compliqué, c'est parce que *nous,* nous sommes compliqués. Si seulement nous réussissions à devenir aussi simples que Iain et Aisling!

7

Une ombre sur Avalon

Le soleil pénétrait à pleines fenêtres dans la chambre où Télem et Alys achevaient de se réveiller. Il avait plu durant la nuit et une brise fraîche et chargée des odeurs du jardin les rendait hésitants à quitter les couvertures.

— J'ai rêvé d'Aisling, cette nuit, dit doucement Alys. Si seulement elle pouvait parler! Elle en connaît plus que n'importe qui sur Avalon, je parie.

— Et moi, c'est à Qader que j'ai rêvé, répondit Télem. Quel peut bien être le rapport qui l'unit à Avalon? Il me semble que tout les oppose!

On frappa à la porte. C'était Aisling, qui venait porter du pain encore chaud, des confitures et du lait. Elle observa un court instant les deux jeunes gens comme si elle les voyait pour la première fois. Puis, elle sourit, déposa son plateau et sortit.

* * *

Une fois levés, Télem et Alys retrouvèrent Iain dans le jardin. Près de la cascade aux pierres moussues, sous un gros saule, il bêchait la terre autour d'iris en fleurs tout en sifflotant un air joyeux.

— Vous ne m'avez toujours pas dit ce que vous êtes venus faire en Avalon, dit-il en guise de salutation.

Iain ne s'était pas arrêté de bêcher. Un peu pris de court — Télem ignorait comment l'homme avait deviné qu'ils avaient une mission à accomplir — il se demanda un court instant s'il ne valait pas mieux lui cacher la vérité. Mais Iain semblait calme, serein et digne de confiance, aussi Télem jugea-t-il bon lui raconter toute son histoire depuis le début, c'est-à-dire à partir du moment où sa mère mourante lui avait donné l'anneau de Qader.

— C'est là un bien étrange récit, dit Iain lorsque Télem eut fini de parler. Il me semble que, sans le petit peuple pour en prendre soin, votre monde doit être bien triste !

Iain arrêta brusquement de parler et fit signe aux deux jeunes magiciens de garder le silence.

— Entendez-vous? dit-il enfin. Des funérailles !

Entraînant les deux jeunes magiciens à sa suite, Iain emprunta un petit sentier que ni Télem, ni Alys n'auraient pu trouver seuls. Ils s'approchèrent des bruits de fifres et de tambours que l'on devinait à peine à travers les buissons. Puis, à la jonction d'un autre sentier, les deux magiciens aperçurent le plus étrange spectacle qu'il leur eut jamais été donné de voir.

Il y avait là une centaine de petits êtres — aucun ne mesurait plus d'un pied de haut — qui formaient un cortège funèbre. C'était une troupe plutôt bigarrée : le petit peuple semblait constitué d'une grande variété de races. Certains avaient la peau brune, d'autres l'avaient plutôt verte, mais la plupart avaient les oreilles pointues. Certains portaient des chaussures, d'autres allaient pieds nus, d'autres encore avaient des sabots de chèvre au lieu de pieds.

En tête du cortège, six petits bonshommes portaient le corps sans vie et recouvert de fleurs d'un petit guerrier — on entrevoyait çà et là des bouts d'armures à travers les fleurs. À leur suite venaient un cavalier et une cavalière montant des chevaux minuscules et habillés à la manière de grands seigneurs. Enfin, des dizaines de jongleurs, de musiciens et de danseurs formaient une farandole endiablée et infatigable.

— Les funérailles sont l'occasion de réjouissances chez le petit peuple, dit Iain à l'attention de deux magiciens. Pour nous, en Avalon, la mort est un événement qui est aussi riche de sens qu'une naissance. Même si, sur le coup, il est triste de se voir séparé d'un être cher.

Le petit cavalier sembla enfin remarquer les trois humains. Il leva la main, et le cortège s'immobilisa.

— Je te salue, Iain, roi des Sorbiers, cria le cavalier.

— Je te salue aussi, Strathaird, roi parmi les Daoine Sidhe, répondit Iain. N'est-ce pas ton fils Belderrig, que je vois là?

— Oui, répondit la cavalière. Notre Belderrig a été enlevé et tué par les gobelins du château de Manawyddan!

— Il y a longtemps qu'ils étaient tranquilles, reprit Iain. Qu'est-ce qui les pousse à repartir en guerre?

— Amadan! répondit Strathaird. Il est revenu.

Sans en dire plus, le roi leva le bras à nouveau, et le cortège se remit en marche.

«Iain, un roi? songea Télem. Qui aurait cru une chose pareille? Roi des Sorbiers, ils ont l'air d'avoir des rois pour tout ici.»

* * *

Iain, de retour chez lui, s'était versé un verre d'eau-de-vie pour se remettre de ses émotions.

— Amadan! marmonnait-il, le regard vague. Amadan est de retour!

76

— Qui est cet Amadan? demanda doucement Télem au bout d'un moment.

Iain revint brusquement à la réalité et se souvint de ses deux jeunes invités. Il ne répondit pas directement à la question de Télem.

— Les gobelins sont d'habitude plus portés sur les mauvais tours que sur la guerre. Ils sont irritants, vulgaires, nuisibles et malfaisants, mais il est rare qu'ils aillent jusqu'au meurtre. Et même dans ces cas, ils s'attaquent le plus souvent aux voleurs et aux brigands, qu'ils prennent à leur propre jeu.

— Et Amadan, dans tout ça? demanda Alys.

— Personne ne sait exactement qui c'est. Il a relevé de ses ruines la vieille forteresse de Manywyddan voilà quelques années et a poussé les gobelins au meurtre et au pillage. Avalon en a beaucoup souffert.

— Et que s'est-il passé ensuite? reprit Télem.

— Mon petit royaume des Sorbiers a bien failli être abandonné de toutes ses fées et tomber de votre côté du monde. J'ai pris ici sous ma protection ce qu'il restait du petit peuple du royaume et...

Iain étouffa un sanglot. Ses yeux étaient humides et il cherchait ses mots.

— Je suppose, dit doucement Alys, que c'est à ce moment-là qu'Aisling...

— Oui! souffla Iain, la gorge serrée.

L'homme resta muet un moment. Télem et Alys n'osaient pas dire un mot, tant la tristesse

77

de leur hôte semblait grande. Il leur semblait que tout était plus intense en Avalon : la beauté mais aussi la laideur, la joie mais aussi la douleur.

— Je ne connais pas les réponses aux questions que vous vous posez, dit-il. Mais le haut-roi d'Avalon pourra peut-être vous aider. J'ai l'impression que, d'une manière ou d'une autre, votre destin est lié à celui d'Avalon.

* * *

Après quelques préparatifs, Télem et Alys firent leurs adieux à leur hôte. Iain n'était peut-être qu'un roi parmi des dizaines et des dizaines en Avalon, mais les deux magiciens s'étaient attachés à cet étrange personnage et à sa demeure accueillante.

Iain indiqua aux deux voyageurs la route à suivre pour parvenir à la colline de Birreencorragh, qui servait de palais au haut-roi d'Avalon. Selon le roi des Sorbiers, il existait en Avalon un monarque qui régnait sur tous les autres souverains : c'était Dermot, le haut-roi.

La route était en réalité un sentier assez vague. Télem aurait souhaité que quelqu'un les accompagne, mais Iain avait prétendu que c'était inutile, puisqu'il avait pris des arrangements avec le petit peuple pour qu'on aide les deux voyageurs si jamais ils étaient dans le besoin.

— Tu y comprends quelque chose, toi, à cette histoire de petit peuple? demanda Télem à Alys qui marchait à ses côtés.

— J'ai posé quelques questions à ce propos à Iain pendant que tu faisais les bagages, répondit-elle. Il a une manière bien à lui de répondre aux questions sans vraiment y répondre, mais il m'a finalement chanté quelque chose qui m'a donné certains indices.

— Oui, tout en Avalon est plutôt étrange, pour un magicien habitué à penser d'une manière plus logique. Que t'a-t-il appris?

— C'est étrange pour moi aussi. Ma magie a toujours été davantage axée sur la nature et sur les émotions, ça, tu le sais. Mais ce que je vois en Avalon me dépasse. Je suis une magicienne habituée à penser en fonction des lois de la nature telles que nous les connaissons. Mais d'après ce que je comprends du chant d'Iain, les lois de la nature sont très différentes ici.

— Ça, je commence à m'en rendre compte. Mais le petit peuple, dans tout cela?

— Patience, Télem, j'y viens! L'ordre des magiciens nous a enseigné jusqu'ici qu'il existe deux états naturels: celui du chaos, ou l'ordre n'existe pas; et celui que nous habitons, où il existe des lois, mais où la nature subit des changements lents. Je crois qu'Avalon constitue un troisième état naturel où c'est l'ordre qui domine.

— Si je te comprends bien, le monde d'où

nous venons se situe à une sorte de point d'équilibre entre le chaos et l'ordre qui règne en Avalon?

— Exactement. Le monde d'où nous venons n'est pas vraiment en équilibre : il est un peu plus triste à chaque génération, il s'épuise sans arrêt. Tu connais ces légendes où il est question de grandes forêts, d'arbres géants, de grands espaces? Le monde qu'ont connu nos ancêtres était plus neuf que le nôtre, et ce ne sont pas seulement les destructions faites par les humains qui font la différence. Même dans les régions inhabitées, dans mille ou deux mille ans, les arbres seront devenus de petits arbustes chétifs et l'herbe sera une petite chose jaune et sèche qui poussera par plaques à travers les cailloux!

— Tu es certaine de ce que tu dis? Parce que ça signifierait que les magiciens vivent dans l'ignorance depuis des siècles tout en croyant avoir percé les mystères de la nature!

— Je ne sais pas vraiment combien de temps ça prendra, mais notre monde va disparaître. Maintenant que les magiciens noirs ont disparu, ce n'est pas le chaos qui le menace, mais le néant : il est condamné à devenir de plus en plus triste et terne jusqu'au moment où la vie y disparaîtra.

— Et le petit peuple? Ce n'est tout de même pas lui qui fait la différence?

— Si, justement!

— Ces petits être chétifs?

— Ils jouent un rôle important. Ce qu'Iain m'a appris, c'est qu'ils sont davantage des esprits que des êtres vivants. Ou, pour être plus précis, ce sont à la fois des esprits et des êtres vivants.

— Tu veux dire qu'ils sont apparentés aux démons que Prentziq nous avait envoyés[1]?

— Les démons viennent du centre de la Terre et sont étrangers à notre monde. Lorsqu'on les appelle ici, ils sont malfaisants, mais ils ont peut-être un rôle important à jouer là où ils sont, qui sait? Le petit peuple, lui, a été créé en même temps que la Terre, il appartient à notre monde, et c'est lui qui est chargé de le faire fonctionner correctement: il sème les graines des plantes, fait éclore les bourgeons le printemps, dépose la rosée...

— Mais ça se fait chez nous aussi!

— La nature compense du mieux qu'elle peut, mais ce n'est pas la même chose. Tout est d'une beauté fantastique en Avalon parce que tout est neuf! Tandis que chez nous, tout se meurt lentement, même si pour le moment la vie y est encore agréable.

— Je crois que je commence à comprendre, dit Télem.

— Et le petit peuple ne prend pas seulement soin de la santé des plantes: il s'occupe aussi des animaux et des gens.

— Bref, les efforts du petit peuple font en

---

[1] Voir *Le Château de Fer,* dans cette collection.

sorte que tous ici vivent ensemble en harmonie et que chacun, plantes, animaux, gens, connaissent la place qui leur revient.

— C'est bien ça.

Télem resta songeur un instant. Tout en continuant de marcher, il regardait autour de lui. L'air était chargé d'odeurs, quelques insectes bourdonnaient doucement, des fleurs de toutes sortes tapissaient le sol et une lumière dansante traversait la frondaison des arbres. Le jeune magicien était partagé entre le bonheur que lui donnait toute cette beauté et un doute affreux qui commençait à l'assaillir.

— Tu sais, Alys, je me demande s'il y a de l'avenir pour les magiciens. Le petit peuple, il fait depuis toujours ce que nous cherchons à faire depuis que nous existons !

8

Merveilles et périls
du petit peuple

Télem et Alys marchaient déjà depuis deux
heures vers le palais du haut-roi. Le soleil était
haut dans le ciel. Les deux jeunes voyageurs
s'étaient arrêtés sur le bord d'un petit ruisseau
qui coupait le sentier, pour se reposer et manger un peu du pain et du saumon fumé que
leur avait préparé Iain.

Des bruits se firent soudain entendre juste
derrière eux.

— Qui va là? cria Télem en se levant et en
portant la main à son épée.

Il n'y eut pas de réponse, et pour cause. La
jeune fille blonde qui se tenait là n'était nulle
autre qu'Aisling, la princesse sourde et muette
du royaume des Sorbiers!

— Aisling? dit-il, interloqué. Il... il y a un
problème?

Mais il n'y avait pas de problème. La fille
d'Iain était là, devant lui, souriante, tout sim-

plement. Et portant un baluchon contenant quelques affaires.

— Tu viens avec nous? demanda Alys, qui s'était levée elle aussi.

Aisling dut deviner le sens de la question ou lire les lèvres d'Alys, puisqu'elle hocha la tête.

— Je me demande ce que pensera Iain lorsqu'il saura que sa fille nous a suivis en cachette, dit Télem.

— Tu ne vas tout de même pas la renvoyer chez son père? demanda Alys.

— Non, bien sûr que non... Je suis même plutôt rassuré de la savoir avec nous. Elle connaît Avalon bien mieux que nous. Et le kelpie m'a rendu méfiant.

— Je ne suis pas certaine qu'en Avalon des choses comme ça se produisent sans motif, dit Alys. Aisling doit avoir ses raisons de nous suivre. Viens manger avec nous, ajouta-t-elle à l'intention de la jeune fille, en faisant un geste d'invitation.

Aisling accepta et vint s'asseoir avec eux. Télem et Alys l'observaient avec curiosité. Ils ne l'avaient pas tellement vue lorsqu'ils étaient chez Iain et, de toute façon, les manières exubérantes de leur hôte avaient détourné leur attention de la princesse. La jeune fille mangeait avec application, comme si cela avait une importance qui dépassait les simples plaisirs de la table. Son regard vert un peu rêveur s'attardait parfois sur un arbre ou sur une fleur, comme si elle y voyait des fées. Et peut-être en voyait-elle réellement.

Après le repas, Aisling se leva, se rendit au ruisseau, prit un peu d'eau dans ses mains formant une coupe et s'en aspergea les joues. Elle s'essuya du revers de sa manche, sortit une brosse, se peigna et refit ses longues nattes blondes. Il n'y avait pas de coquetterie inutile dans tous ces gestes : la jeune fille vivait simplement au rythme un peu paresseux d'Avalon.

Puis, avec un sourire satisfait, elle montra le sentier aux deux magiciens.

* * *

Au terme d'un après-midi sans histoire, le sentier que suivaient les voyageurs déboucha sur une petite clairière dominée par un tertre où poussait un très vieux buisson d'aubépine au tronc tout noueux.

— Un endroit parfait pour passer la nuit ! déclara Télem avec satisfaction. J'ai les jambes mortes !

— Moi aussi ! dit Alys en déposant son sac à dos. C'est toi qui te charges de trouver du bois pour le feu, ajouta-t-elle avec un sourire malicieux.

— Bon, ça va, ça va, répondit Télem sans enthousiasme. Aisling, ajouta-t-il à l'intention de la jeune fille, il y a quelque chose qui ne va pas?

Elle regardait en effet les deux magiciens d'un air réprobateur. Elle montra le tertre et fit signe à Télem et Alys de s'en éloigner avec elle.

—Je crois que nous ferions mieux de la suivre, dit Alys.

—Je préfère savoir quel est le problème de cette clairière avant de partir, répondit Télem.

—Nous sommes aujourd'hui au septième jour de la septième lune de l'année, fit une voix désagréablement aiguë derrière les deux magiciens, et cette nuit, les fées vont venir danser sur la colline!

Télem et Alys se retournèrent et, pris de stupeur, virent un petit homme qui n'avait pas plus de deux pieds de haut tournoyer sur lui-même la tête en bas, appuyé sur l'une des pointes d'un ridicule chapeau tricorne.

—Je me présente, dit le petit homme en sautant sur ses pieds et en se découvrant. Ballygarvaun, pour vous servir! C'est Iain qui m'envoie.

—Que disais-tu, à propos des fées? dit Alys, à peine revenue de sa surprise.

—Elles vont venir danser sur la colline cette nuit et il ne faut pas les déranger. Vous pouvez bien passer la nuit un peu plus loin, non?

—Oui... commença Télem.

—Parfait, je vous laisse, alors, j'ai beaucoup de travail!

Sur ces mots, le petit homme se mit à courir en zigzag à une vitesse prodigieuse et il disparut presque aussitôt.

* * *

Télem, Alys et Aisling étaient assis autour du feu dans le bois. Ils avaient suivi les recommandations de Ballygarvaun et étaient revenus de quelques centaines de pieds sur leurs pas. Télem mourait d'envie d'aller voir ce qui se passait sur la colline, mais il était partagé entre sa curiosité et ses craintes.

— Tant pis! dit-il en se décidant tout d'un coup et en se levant. J'y vais!

— Tu n'as pas peur? demanda Alys.

— Si j'ai pu faire face à Prentziq et à ses Hnyrhschts, ce ne sont pas quelques fées en train de danser qui vont me faire peur!

Télem marqua un moment d'hésitation et demanda:

— Viens-tu avec moi?

— Aisling peut bien rester seule, je suppose. D'accord, ça m'intrigue moi aussi.

En voyant Alys se lever, Aisling fit une moue réprobatrice. Mais elle ne bougea pas et les laissa s'éloigner du feu.

Le trajet à travers la forêt, dans le noir, ne fut pas des plus faciles. La lune était pleine, mais bien peu de lumière perçait le feuillage des arbres. Télem et Alys butaient souvent sur des racines ou de jeunes pousses d'arbres et, chose étrange, ils avaient le sentiment de les déranger.

Ils parvinrent cependant sans encombre à l'orée de la clairière. Une musique joyeuse et rythmée, mais très étrange et très déroutante, parvenait du tertre sur lequel on devinait un mouvement.

— Nous sommes trop loin, dit Télem. Suis-moi, je vais ramper pour m'approcher.

Télem quitta le couvert des arbres, suivi d'Alys. Au fur et à mesure qu'ils s'approchaient, la scène leur apparaissait avec davantage de précision. Tout d'abord, il leur avait semblé que c'était une multitude de petites boules de feu qui dansaient dans une farandole frénétique. Puis, ils avaient constaté que les danseurs étaient encore bien plus nombreux qu'ils ne l'avaient imaginé, et que quelques-uns d'entre eux seulement portaient de minuscules torches. Un détail intriguait Télem depuis le début: les danseurs étaient situés beaucoup trop bas par rapport au sommet du tertre. En s'approchant, il comprit que tout le sommet du tertre s'était élevé sur des colonnes de pierre et que ce sommet formait un dôme au-dessus des danseurs. La colline était creuse!

La musique commençait à avoir un effet inattendu. Ses rythmes déroutants et enchevêtrés exerçaient un attrait irrésistible sur les deux magiciens qui, oubliant toute prudence, rampaient toujours en direction du tertre, de plus en plus près. D'où ils se trouvaient maintenant, ils pouvaient voir qu'au milieu de la ronde des danseurs plusieurs rois et leur suite étaient en train de festoyer. Mais de plus en plus subjugués par la scène, ils n'apercevaient pas les groupes de fées qui arrivaient sans arrêt de toutes les directions pour se joindre aux danseurs.

Un groupe de petits êtres semblables à Ballygarvaun, l'envoyé d'Iain, arrivait en dansant. Tombant par hasard sur Télem et Alys étendus par terre en train d'observer la colline, ils les entraînèrent dans leurs danses.

Et ainsi, les deux visiteurs se retrouvèrent au milieu du peuple de la colline, dansant toujours plus vite autour de plusieurs rois du petit peuple occupés à manger! Et plus la musique les subjuguait, plus la danse durait, et plus les danseurs tournaient vite, plus Télem et Alys se sentaient légers, et plus ils avaient envie de tourner encore plus vite, plus vite, plus vite...

*   *   *

Lorsque Télem se réveilla, le soleil commençait à pointer à l'horizon. Le jeune homme se trouvait au pied du tertre, mais celui-ci n'était plus ouvert, et il n'y avait plus ni musique, ni danses. Alys était étendue à ses côtés et Aisling les regardait d'un air inquiet. Les muscles de ses jambes étaient raides. Il se demanda pourquoi, pendant une seconde, avant de se souvenir de la danse folle dans laquelle il avait été entraîné.

— Alys, réveille-toi...

Ballygarvaun apparut soudain. Le petit bonhomme portait toujours son ridicule chapeau tricorne et une vieille redingote verte, et il arborait un sourire narquois.

— Je vous avais bien dit d'éviter la colline cette nuit, dit-il. Il y a plusieurs rois du petit peuple qui sont enterrés ici, et à tous les sept ans, sept mois et sept jours, les fées se réunissent ici pour fêter!

— Oh, j'ai trop dansé, dit Alys en se tâtant les muscles.

— Et cela aurait pu durer bien plus longtemps encore, si Aisling ne s'était pas inquiétée de votre absence. Les gens des collines sont capricieux. Ils auraient pu vous faire danser pendant encore sept ans, sous la colline.

— Merci de l'avertissement, maugréa Télem.

Avec un petit rire aigu, Ballygarvaun esquissa quelques pas de danse, puis conclut en disant:

— Ballygarvaun, le leprechaun[1], à votre ser-

---

[1] Les leprechauns (prononcer *lè-pre-k-onne*) appartiennent à une tradition irlandaise encore très vivante. Ils aident parfois les voyageurs égarés et peuvent même

vice! Au fait, votre camp a été saccagé par les gobelins cette nuit!

Le leprechaun, comme Ballygarvaun se nommait lui-même, bondit par en arrière, fit quelques tours sur la tête en se servant de son tricorne comme pivot, puis disparut prestement avant que les deux magiciens aient le temps de répondre.

— Quelle peste! dit Télem. Il a le culot de se moquer de nous, en plus!

* * *

Ballygarvaun n'avait pas menti: le campement avait bel et bien été envahi par les gobelins. Quelques-uns d'entre eux étaient même toujours là, assis autour du feu en train de manger les provisions qu'Iain avait données aux jeunes voyageurs et de boire leur bière en riant!

Les gobelins étaient de petits avortons bruns et laids qui mesuraient un pied et demi de haut, avec de rares cheveux noirs partant dans tous les sens. Ils portaient des armures de cuir tachées de nourriture ainsi que de longs poi-

---

indiquer l'emplacement de trésors à ceux qui par- viennent à les surprendre, mais sont le plus souvent moqueurs et malicieux. On entend souvent, dit-on, de petits coups de marteau dans les bois et les collines d'Irlande: ce sont les leprechauns qui réparent leurs chaussures.

gnards dont ils se servaient pour manger. Quelques-uns étaient coiffés de bonnets d'un rouge délavé, tandis qu'un autre avait un livre ouvert sur la tête en guise de couvre-chef.

— Mon manuscrit de Qader! hurla Télem en reconnaissant le livre en question. Rendez-le-moi, bande d'animaux!

Oubliant toute prudence, Télem se lança à l'assaut. Les gobelins, dans leur surprise, se mirent à courir en tous sens. Puis, comprenant l'objet de la fureur du jeune magicien, le gobelin qui portait le livre sur la tête le lança à un de ses congénères, derrière Télem. Le livre passa d'un bout à l'autre du camp deux ou trois fois ainsi, tandis que Télem ne savait de quel côté courir.

— Rendez-le-moi! cria encore Télem. Ou je vous taille en pièces!

En voyant Télem sortir l'épée Aradril du fourreau, les deux gobelins détalèrent sans demander leur reste. Le précieux manuscrit décrivit une longue trajectoire, avant de s'écraser près du feu. Le livre était sauf!

— Venez, dit Télem, encore fulminant, aux deux jeunes femmes. J'en ai marre. On ramasse ce qui est encore bon, et on va le voir au plus vite, ce haut-roi!

* * *

Les voyageurs atteignirent un village après vingt minutes de marche. C'était un tout petit hameau, comptant tout ou plus huit ou dix maisons sous les arbres. Toutes n'étaient pas aussi jolies que celle d'Iain, mais toutes invitaient au repos. Les habitants du village, des gens simples mais chaleureux, vivaient de cueillette, de pêche et de leurs jardins potagers. Aussitôt après avoir raconté leurs mésaventures, Télem et Alys, ainsi qu'Aisling, furent invités à manger chez une vieille veuve. Elle habitait avec son fils, bûcheron de son métier, qui se déplaçait partout avec une lourde hache de fer.

— C'est bien un tour de gobelin, ça, votre histoire, disait le bûcheron pendant que ses hôtes se restauraient. Ils deviennent de plus en plus malins, depuis quelques semaines. L'autre nuit, par exemple, j'ai laissé ma hache dehors. Le lendemain matin, je l'ai retrouvée complètement émoussée, comme si on s'était amusé à la frapper contre un rocher. Mais il y a pire : au bout du potager, il y avait toute une famille de farfadets qui vivaient dans un arbre. Je leur laissais souvent un verre de lait et des biscuits, la nuit, et en échange, ils sarclaient mes légumes. Un matin, trois jours après l'histoire de la hache, j'ai retrouvé toutes mes carottes arrachées et mes laitues piétinées ; et la famille de farfadets avait fui...

93

Le récit du bûcheron fut interrompu par un cri de femme strident suivi de sanglots, à l'autre bout du village.

— C'est Clodagh! dit la vieille veuve. Va voir, vite! ajouta-t-elle à l'intention de son fils.

Celui-ci empoigna sa hache et sortit, suivi de Télem, Alys et Aisling. D'un peu partout, les gens accouraient sur les lieux du drame.

Une jeune femme se tenait sous une corde à linge, à genoux devant un panier en osier contenant un bébé, et elle pleurait en se lamentant.

— Mon bébé! sanglotait-elle. Les gobelins ont enlevé mon bébé! Regardez ce qu'ils ont laissé à la place!

La chose qui occupait le panier d'osier était en effet fort laide: un nourrisson brun et rachitique, avec d'énormes oreilles décollées, un gros nez rouge en forme de poire et une large bouche de crapaud. Un cauchemar pour toutes les mamans du monde, en Avalon comme ailleurs!

— J'ai à peine eu le temps de me retourner pour étendre mon linge, sanglotait-elle encore, que les gobelins m'avaient pris mon pauvre bébé...

Télem et Alys échangèrent un regard inquiet. La forêt, tout autour, était magnifique. Pourquoi des choses comme celles-là pouvaient-elles se produire en Avalon? Étaient-ils en train d'assister à la mort de la vieille forêt et du petit peuple?

9

Le haut-roi d'Avalon

Les voyageurs avaient repris leur route, encore un peu secoués à la suite du rapt du bébé par les gobelins. Télem gardait une main près du fourreau de son épée — il n'avait pas oublié les poignards acérés des gobelins qu'il avait surpris en train de s'amuser avec le vieux manuscrit de Qader.

Télem était un peu inquiet. Avalon était un monde immense — pourtant, de l'extérieur, cela semblait être un simple boisé d'un mille sur deux! — et Télem n'avait aucune idée de la distance qui les séparait encore de la colline de Birreencorragh, résidence de Dermot, haut-roi d'Avalon. Combien de temps encore devrait-il marcher à travers cette forêt déconcertante? Surtout sous la menace des gobelins de plus en plus menaçants du roi Amadan?

Au détour d'un buisson, les voyageurs émergèrent brusquement de la forêt. Ils se trouvaient au sommet d'une crête, et à leurs pieds s'étendait un pays de collines dénudées entre lesquelles poussait une maigre végétation. Et tout au loin, à l'horizon, on apercevait la mer!

— Tu as vu? dit Télem à l'intention d'Alys. Un océan! Il y a un océan en Avalon! Pourtant, la vieille forêt n'est qu'à un jour de marche de Mirghul, et Mirghul se situe à des centaines et des centaines de milles de la mer!

— Avalon est un monde qui vit en marge du nôtre, dit Alys. Comme si notre monde et celui d'Avalon avaient commencé à vivre de manière séparée...

Mais il ne servait à rien de spéculer. Le sentier descendait à travers les collines et Télem reprit la marche, espérant que l'une d'entre elles serait celle de Birreencorragh.

* * *

Il y avait déjà deux jours que les jeunes magiciens parcouraient les collines, et il leur fallait bien admettre qu'ils étaient perdus. Aisling elle-même ne souriait plus.

Les collines étaient belles, à leur manière. Bien que battues par le vent et presque nues, elles avaient un charme rugueux et elles invitaient au recueillement. En parcourant les sentiers qui les traversaient, on avait l'impression que les collines étaient là depuis le début du monde, et qu'elles y seraient toujours — peut-être était-ce le cas. Et la nuit tombée, lorsque le vent sifflait à travers les arbustes noueux, on sentait que loin d'être mortes, les collines étaient pleines de vie. Le petit peuple habitait ces lieux et s'y sentait chez lui autant qu'en forêt. Parfois, dans le noir, sur le sommet d'une colline, on voyait des lueurs danser. Le petit peuple veillait.

Mais les voyageurs auraient bien voulu parvenir à destination. Ils sentaient la menace des gobelins se préciser. Durant la nuit, ils avaient entendu autour de leur camp des grognements et des craquements qui ne devaient rien aux animaux. Des tours de garde avaient dû être organisés.

— Il faudrait un plan pour nous tirer d'ici, dit enfin Télem. Il y a des sentiers qui partent dans toutes les directions et qui n'arrivent nulle part. Je parie qu'il n'y a que le petit peuple pour s'y retrouver.

— Oui, répondit Alys, nous tournons en rond depuis hier. Tu as une suggestion?

— On pourrait toujours essayer de trouver une colline plus haute que les autres...

Le groupe reprit sa progression, mais les sentiers se terminaient toujours sur des crevasses, des fourrés d'épines et d'autres espoirs déçus. Toujours pas de colline plus haute en vue. Les deux magiciens étaient en train de succomber au découragement lorsque Aisling — qu'ils avaient presque oubliée tant elle était silencieuse — vint tirer la manche de Télem, en lui faisant signe de la suivre.

— Tu as une idée? dit Télem. Et pourquoi pas, au point où nous en sommes...

Les jeunes magiciens suivaient la princesse muette depuis une ou deux minutes lorsqu'un martèlement irrégulier capta leur attention. Aisling, sans que l'on sache comment, se dirigeait justement vers l'origine de ce bruit.

Le sentier déboucha sur un buisson sous lequel, à la stupéfaction des deux magiciens se trouvait Ballygarvaun en train de donner des coups de marteau sur une chaussure à laquelle il s'ingéniait à poser une nouvelle semelle!

— Oh! dit le leprechaun. Vous me cherchiez? Désolé, j'étais très occupé depuis deux jours, j'ai du travail à faire, moi!

Télem remarqua, fort intrigué, que derrière Ballygarvaun, il y avait un énorme tas de chaussures, toutes pour le pied gauche, mais il n'osa pas faire de remarque, de peur d'offenser le leprechaun.

— Nous sommes perdus, dit Alys.

— Ah oui, tous ces boreens, ces sentiers à travers les collines, si vous préférez, sont un peu déroutants...

— Un peu! répondit Télem, d'un ton excédé.

— Au train où vous allez, reprit le leprechaun avec son air narquois habituel, il vous faudra au moins quatre-vingt-dix-neuf ans pour atteindre Birreencorragh.

— Quatre-vingt-dix-neuf ans? répondit vivement Alys. Mais...

— Ah! coupa Ballygaraun. Mais c'est qu'en

Avalon, quand on veut se rendre à quelque part, il vaut mieux connaître les raccourcis! Tenez, prenez cette branche de frêne, dit-il en tendant un bout de bois à Alys. Revenez sur vos pas et prenez le premier sentier que vous verrez. Il mène à Birreencorragh. Et à n'importe quel autre endroit où vous pourriez souhaiter vous rendre, à dire vrai.

— Le premier sentier... commença Télem.

— Oui, l'interrompit d'un ton excédé le leprechaun qui avait recommencé à donner des coups de marteau sur une chaussure, le premier sentier.

Les magiciens firent comme le leur avait indiqué Ballygarvaun. Vingt minutes plus tard, ils étaient au bord de la mer. Et, formant un cap dans l'océan, se dressait une imposante colline : Birreencorragh.

* * *

Birreencorragh et ses environs constituaient un mélange d'éléments familiers et de ces choses étranges et merveilleuses propres à Avalon. Au pied de la colline se dressait une ville fortifiée assez importante : deux ou trois mille habitants au moins. On y trouvait des demeures bourgeoises et des logements plus modestes, comme dans n'importe quelle autre ville.

Mais là s'arrêtaient les comparaisons. Les

murailles qui entouraient la ville étaient couvertes de vigne et de mousse. De rares sentinelles endormies montaient le guet. Les toits des tours, à moitié éventrés, servaient surtout de perchoirs aux pigeons. Du côté de la colline, une partie des fortifications s'étaient écroulées et laissaient passer un petit cours d'eau qui traversait la ville avant de se jeter dans la mer. Toutes les maisons étaient coquettes, bien tenues et confortables, même les plus modestes. Çà et là, de gros arbres faisaient de l'ombre dans de petits parcs qui invitaient à la méditation. Et enfin, les habitants semblaient davantage intéressés par les lettres et la musique que par le commerce et l'étalage de richesses, comme c'était ordinairement le cas dans les villes.

Pour tout dire, les habitants de Birreencorragh avaient l'air bien portants et heureux. Et c'était tout un choc pour Télem et Alys, habitués à la misère et à la saleté des villes de leur propre monde.

Que dire du haut-roi d'Avalon? Ses manières étaient à mi-chemin entre celles des humains et celles du petit peuple. À l'une des extrémités de la ville, tout contre la colline aux pentes escarpées, se dressait un immense donjon qui avait peut-être déjà servi, dans le passé, de résidence aux rois d'Avalon. Mais la cour royale se trouvait en réalité sous la colline, dans un dédale incroyablement complexe de couloirs, d'antichambres et de salles voûtées, de jets d'eau et d'autres merveilles semblables. Bien que tout ait été creusé dans le sol de la colline, les murs étaient tous en blocs de maçonnerie ajustés avec soin, comme si le palais avait été construit d'abord, puis la colline ajoutée par la suite. Toutes ces salles n'étaient ni froides, ni humides; presque partout où portait le regard, de somptueuses tapisseries décoraient les murs. Le palais n'était pas sombre non plus: la lumière du soleil y entrait par toutes sortes d'ouvertures dans les plafonds, reflétée par un jeu complexe de miroirs. Enfin, il régnait dans la place une atmosphère très animée: partout, on croisait des musiciens, des chanteurs, des danseurs, des poètes, des jongleurs, des peintres, des sculpteurs, ainsi que des membres richement vêtus de l'aristocratie d'Avalon.

Birreencorragh était une cour heureuse, et il n'y avait aucun doute que le petit peuple avait beaucoup d'affection et de respect pour le haut-roi d'Avalon.

Accompagnés d'Aisling, que tous à Birreencorragh semblaient connaître, Télem et Alys n'eurent aucun mal à obtenir une audience auprès du haut-roi Dermot et de la haute-reine Erin. Les souverains reçurent les voyageurs dans une salle assez modeste, rafraîchie par une cascade au son cristallin. Il y poussait une grande variété de fleurs. C'était une rencontre privée: il n'y avait là que Dermot, Erin, Télem,

Alys et Aisling. Après les présentations d'usage, Dermot prit la parole.

—J'étais au courant de votre arrivée, dit le haut-roi. Vous cherchez des réponses aux questions que vous vous posez.

—Sire, commença Télem, ces réponses-là sont vitales pour nous...

—Il y a des questions que vous ne vous posez pas et auxquelles nous pouvons apporter une réponse, et des questions que vous vous posez et auxquelles nous ne saurions répondre, l'interrompit le roi. Nous vous dirons tout ce que nous savons et qui pourrait vous aider, mais j'aimerais que vous nous promettiez votre aide, vous aussi.

—Mais, Majesté, répondit Télem, en quoi pourrions-nous vous être utile?

—Il s'agit d'Amadan, le roi dément qui règne en la forteresse de Manawyddan, que l'on nomme aussi le Château de Crânes.

—Nous en avons entendu parler, répondit Alys. Et nous avons vu de nos propres yeux les malheurs qu'il provoque.

—Alors, vous aviez peut-être déjà des soupçons quant à sa nature. Amadan n'appartient pas à Avalon. Au contraire, il en est la négation. Toutes ses actions visent à détruire les liens qui unissent ici les humains, la nature et le petit peuple. Si nous le laissons faire, Avalon cessera d'exister une fois pour toutes. Au mieux, le lien ténu qui existe encore entre Avalon et votre monde disparaîtra à jamais.

— Sire, si c'est en notre pouvoir, nous vous aiderons! répondit Alys avec conviction.

— Vous aiderez-nous aussi? demanda doucement Erin à Télem.

— Oui, Majesté, répondit Télem, qui se demandait à quoi il s'engageait.

— Voilà qui est bien, reprit Dermot. Quant à Aisling, sa volonté d'abattre Amadan ne fait aucun doute. Télem, Alys, je vous l'ai dit, Amadan n'appartient pas à Avalon. Il ne respecte pas ses règles. Vous n'êtes pas d'ici non plus, et pas plus que lui, vous n'êtes tenus d'observer toutes les règles de notre monde. Voilà pourquoi vous seuls pouvez abattre l'ombre qui s'étend à partir du Château de Crânes.

— Sire, dit Télem, pardonnez mon impertinence, mais n'avez-vous pas déjà repoussé Amadan une fois sans nous?

— Nous avons contrecarré ces plans voilà déjà près de deux ans, mais nous ne l'avons pas repoussé. C'est lui qui est parti, pour des raisons que nous ignorons. Pour des raisons que nous ne devinons pas davantage, le voilà revenu. Un étrange hasard vous a amenés ici en même temps. Nous aiderez-vous?

— Nous vous aiderons, répondirent les deux magiciens.

— Maintenant, dit Erin, suivez-moi.

10

Le destin de Qader

Laissant Aisling en compagnie du roi, la reine Erin entraîna les deux magiciens dans les profondeurs du palais où, disait-elle, ils auraient toutes les réponses. Au bout d'un moment, ils parvinrent dans une caverne tout illuminée où poussaient des arbres d'une beauté surnaturelle. Leurs troncs étaient brillants comme l'argent et l'or, leurs feuilles, vertes comme des émeraudes, et les fleurs, rouges comme des rubis.

— Cette grotte est l'endroit où se rejoignent tous les sorts et les charmes qui protègent Avalon, dit Erin. Elle était ici au début des temps, et elle sera encore là au dernier jour. Ici, le passé, le présent et le futur se rencontrent et se confondent.

Erin s'approcha des arbres. En les montrant, elle ajouta :

— Voici la forêt du savoir. C'est le don du petit peuple aux rois d'Avalon. Interpréter ce que l'on y voit n'est pas facile. La forêt suit ses propres pensées et peut montrer des événements passés, futurs ou tout simplement possibles.

La reine fit signe aux deux jeunes magiciens d'avancer.

— Observez bien, dit-elle. La forêt va vous parler. Surtout, ne touchez pas aux arbres!

Ce fut Télem qui s'avança le premier entre les arbres. Il y avait entre les troncs et à travers le feuillage des endroits sombres et opaques, et il n'y vit d'abord rien. Mais une brume ne tarda pas à se lever et à prendre forme dans ces zones d'obscurité. Télem vit premièrement un jeune homme pris d'une grande colère. Puis un roi barbu et une jeune fille d'une beauté surnaturelle, avec un regard un peu absent. Avançant un peu plus loin, Télem vit ensuite le même jeune homme dans une ville qu'il reconnut aussitôt : Mirghul! Non loin de là, une autre image avait pris forme entre les arbres : le même jeune homme fuyant la ville, en plein hiver, à pied dans la neige. Puis, encore une fois, la ville de Mirghul. Mais cette fois, c'était Ethel, la mère de Télem, qui s'y trouvait! La vision prit fin sur une ultime image : celle de l'anneau de Qader qui brillait. Une à une, les images dispersées dans la forêt du savoir s'éteignirent.

— L'anneau! s'écria Télem en tirant de ses vêtements la fine chaîne d'or à laquelle était suspendu l'anneau de Qader. Regardez, il brille comme il ne l'a jamais fait !

En effet, au cœur de l'anneau de jade vert, une lueur rouge brillait, changeant d'intensité à intervalles irréguliers.

— C'est fantastique ! s'exclama Alys.

— Alys, à toi maintenant de parcourir la forêt, dit Erin.

La magicienne s'avança à son tour. Un paysage d'une grande beauté lui apparut. Pas de doute possible, c'était là une partie d'Avalon ! Soudain, au milieu de ce paysage apparut une sorte de grande plante, entre les feuilles de laquelle se trouvait une femme d'une beauté prodigieuse à la poitrine nue. Cette vision fut aussitôt remplacée par celle d'une jeune fille frêle et fragile. Cette image s'estompa lentement, et la forêt redevint sombre. Alys crut un instant que la vision était finie, mais, se retournant, elle eut une dernière vision à travers le feuillage d'un petit bosquet : celle de trois hommes au regard cruel, de trois magiciens tournés tout entiers vers le mal...

— Les Ducs-magiciens ! cria Alys. Mais ils sont morts ! Pourquoi la forêt me montre-t-elle cela ?

L'image se brouilla, le feuillage fut agité par une brise soudaine et la vision prit fin. Erin s'approcha des deux magiciens et prit la parole.

— Il y a longtemps que la fontaine m'avait prévenue de votre arrivée, dit-elle. Il y avait des présages étonnants qui vous concernaient, et ce que vous avez vu dans la forêt a confirmé mon intuition.

— Quelle intuition? risqua Télem.

— Cette fontaine est un cadeau du petit peuple à la lignée des haut-rois d'Avalon, répondit Erin. Il n'y a que les membres de cette lignée qui sont capables d'y voir des présages.

— Mais c'est impossible, voyons! dit Alys. Ni Télem, ni moi ne sommes de sang royal, voyons, ça se saurait!

— J'ai reconstitué l'histoire au fil des ans, puisque je savais qu'un jour, vous viendriez. Il n'y a aucun doute que vous êtes de lointains parents.

— Mais ma famille habitait la même ville depuis des générations, dit Télem. Quand mes ancêtres auraient-ils quitté Avalon? Et pourquoi?

— Il y a des fauteuils, dans une pièce proche d'ici, répondit Erin. Nous ferions mieux de nous y asseoir. C'est une très longue histoire...

* * *

Tout avait commencé voilà plusieurs milliers d'années. À l'époque, Avalon recouvrait la terre entière. Les hommes, les bêtes, les plantes et le petit peuple y vivaient en harmonie. Chacun de ces groupes avait son rôle à jouer dans la création. Le petit peuple, en particulier, avait reçu le pouvoir de tisser des sortilèges; ce pouvoir s'accompagnait de la responsabilité d'assurer l'équilibre des choses.

Au centre de la terre existait un autre univers, celui des démons, dont on savait peu de choses. Un jour, dans des circonstances obscures, une brèche fut créée entre ce monde et celui d'Avalon. Une partie d'Avalon fut projetée au centre de la terre, tandis que plusieurs démons prenaient pied dans Avalon. Nul ne sait quel impact eut l'arrivée du petit peuple au centre de la terre, mais la venue de plusieurs démons en Avalon entraîna une série de désastres.

Les démons ne souhaitaient qu'une chose: retourner au centre de la terre. Ils s'adressèrent au petit peuple, dans l'espoir que sa magie pourrait les renvoyer chez eux. Mais les fées avaient les démons en horreur, parce que, par nature, ceux-ci étaient cruels, fourbes et destructeurs. De toute manière, la magie du petit peuple ignorait tout des méthodes à employer pour renvoyer les démons chez eux.

Les démons se tournèrent donc vers les humains. Ceux-ci vivaient dans l'abondance. Les démons réussirent facilement à détourner l'oisiveté de certains d'entre eux vers l'étude de la magie, toujours dans l'espoir de trouver le sortilège qui, un jour, les renverrait dans leur monde.

Manipulés par les démons, les magiciens se livrèrent à des expériences abominables, jusqu'au jour où le chaos fit brutalement irruption dans le monde d'Avalon, jusque-là bien ordonné. Les forces brutales et incontrôlées du chaos provoquèrent une déchirure dans l'univers et créèrent un nouveau monde en marge d'Avalon, qui tenait à la fois du chaos et de l'ordre.

Au début, la forêt d'Avalon occupait la quasi-totalité du continent sur lequel Télem et Alys vivaient. Mais, sur les territoires qui échappaient au contrôle du petit peuple, les hommes avaient perdu la notion du rôle que la création leur avait réservé. Livrés sans aucun frein à leurs ambitions et à leurs passions, les hommes, magiciens en tête, se livrèrent à des guerres toujours plus atroces. Et à chacune d'entre elles, les limites d'Avalon reculaient un peu.

Voilà mille ans, au début de l'interrègne Yttérique, Avalon recouvrait encore le quart du continent. À cette époque, les magiciens étaient au faîte de leur puissance. Ils pouvaient non seulement renvoyer les démons, mais aussi les appeler sur terre pour les aider dans leurs entreprises. Les guerres de cette époque furent tellement longues et cruelles que l'emprise des magiciens sur les affaires humaines en fut diminuée et qu'ils durent poursuivre leur œuvre dans le secret.

Les mages se mirent donc à imiter les manières d'Avalon. Ils créèrent des êtres qui étaient à leur service, mais qui ressemblaient aux fées. Certains de ces êtres étaient grotesques, et dégoûtèrent à tout jamais d'Avalon des humains qui les confondaient avec le véritable petit peuple. D'autres étaient réussis au point où ils trompèrent même, pour un temps, les habitants d'Avalon.

— C'est ici que commence votre histoire, dit Erin aux deux magiciens. Il y a sept cents ans, un magicien qui admirait sincèrement Avalon et qui voulait transformer votre monde à son image créa une série de créatures d'une très grande beauté. Celles-ci se multiplièrent et certaines, enfin, prirent pied dans Avalon, où l'on pensa qu'elles étaient une nouvelle forme que le petit peuple avait cru bon de prendre.

— J'ai vu dans la fontaine une créature mi-femme, mi-fleur, dit Alys.

— Le roi Bharraigh, ton ancêtre et le mien, Alys, était tombé sous le charme d'une femme-fleur. Il lui rendait visite tous les jours et l'admirait en soupirant. Normalement, les femmes-fleurs étaient indifférentes aux humains, fussent-ils rois. Mais Bharraigh avait mis sa plume au service de la poésie et, inspiré par son amour pour la femme-fleur, il écrivait des vers déchirants.

— Puis-je entendre ces vers? demanda Alys.

— *Ma toute pure, ma fleur de beauté*
Mon jour venu, encore je te servirai
À tes pieds sera creusé mon tombeau
Pour tes racines, le plus doux terreau

111

— C'est étrange, dit Alys, et d'une beauté troublante...

— Oui, reprit Erin. La femme-fleur elle-même en fut touchée. Et, sans que celle-ci, muette, ne prononce un mot, une idylle naquit entre eux. Ils s'aimèrent. Et de cette union étonnante naquit ton ancêtre, Alys. La belle, mais étrange Oonagh, celle parmi ses enfants que Bharraigh aimait par-dessus tout, celle qu'il aurait voulu avoir comme aînée...

— Mais c'est affreux, dit Alys, je descends d'une sorte de plante...

— D'une fleur exceptionnellement sensible, dit doucement Erin. D'une créature que le petit peuple lui-même aimait...

— Si je comprends bien, dit Télem, le roi Bharraigh avait d'autres enfants...

— Oui, Bharraigh était veuf et il avait eu plusieurs enfants qui supportaient bien mal les privilèges excessifs que le roi accordait à leur demi-sœur. L'un d'eux, ton ancêtre, Télem, se nommait Beagh. Il devait plus tard être connu sous le nom de Qader, ce qui signifie «Maître de la sagesse». Jaloux d'Oonagh, il se mit à haïr le petit peuple, à qui il associait la femme-fleur et sa demi-sœur. Bharraigh l'exila finalement d'Avalon.

— C'est alors qu'il arriva à Mirghul, dit Télem. Mais ce que je ne comprends pas, c'est comment il en est venu à développer sa philosophie de la magie.

— À Mirghul, il apprit que les femmes-fleur

étaient une création des magiciens. Il y avait déjà plusieurs magiciens dans la ville à cette époque; il étudia la magie avec l'un d'eux et participa aux premières guerres d'expansion de l'Empire mirghul.

— Comment? dit Télem interloqué, Qader était du côté des envahisseurs mirghuls?

— Oui. Sa soif de vengeance était telle qu'il s'était associé à eux pour détruire toutes les créatures créées par les magiciens à l'image du petit peuple.

— Et il a réussi, dit Alys. Il n'y a plus de femmes-fleur, ni rien d'autre de ce genre.

— À l'insu de Beagh, plusieurs attaques portèrent contre Avalon, qui couvrait encore le cinquième du continent à cette époque, et qui fut réduite à presque rien. Lorsqu'il découvrit, mais un peu tard, que les magiciens de Mirghul ne savaient que détruire et piller, Beagh changea de camp et mena la lutte contre eux.

— Et c'est à cette époque qu'il a écrit sa théorie prônant un usage modéré de la magie, intervint Télem.

Le jeune héritier spirituel de Qader comprenait soudain bien des choses : l'essentiel de la pensée du vieux philosophe consistait pour les magiciens à se substituer au petit peuple. Il était difficile de savoir si Qader s'était lancé dans cette voie parce qu'il détestait le petit peuple et qu'il souhaitait voir les magiciens les remplacer, ou si c'était parce qu'il voulait compenser la disparition presque totale d'Avalon pendant les guerres de l'Empire mirghul. Mais une chose au moins apparaissait clairement : en mettant les magiciens au service de l'équilibre de la nature et du bonheur de l'humanité, il leur faisait jouer un rôle analogue à celui du petit peuple. C'était une idée qui ne manquait pas de noblesse. Dommage qu'elle se fût soldée par un demi-échec.

Télem se demanda comment il annoncerait cela à Freya et aux autres magiciens. Ils glorifiaient Qader, comme lui-même l'avait fait, et c'était leur respect commun pour sa philosophie qui unissait l'ordre des magiciens.

— Et l'anneau ? À quoi sert-il ? Comment m'est-il parvenu ?

— Beagh était devenu le principal ennemi de l'Empire mirghul, et sa tête était mise à prix. Dans Arieste assiégée de toute part, il savait que sa fin était proche. Mais il savait aussi que ses travaux étaient incomplets. Ni ses enfants, ni ses collègues n'étaient capables de continuer son œuvre. Il enferma donc dans un anneau un double de sa personnalité, avec juste assez de pouvoirs pour influencer les porteurs de l'anneau à continuer sa quête de la vérité. Mais ses espoirs furent déçus durant des siècles, puisqu'aucun des porteurs n'en fut capable. L'anneau aboutit finalement à Mirghul, la ville la plus proche d'Avalon, où une marchande d'antiquités en fit l'achat.

— Ma mère ! dit Télem.

— Qader, dans l'anneau, dut reconnaître ta mère comme l'une de ses descendantes et l'influencer subtilement pour qu'elle ne s'en départisse pas.

— Ainsi donc, c'était ça...

— Et Oonagh? demanda Alys. Qu'est-elle devenue?

— C'était une créature intelligente, mais bien frêle. À la mort du roi, ses demi-frères la chassèrent d'Avalon, dans la mesure où il était devenu clair qu'elle n'appartenait pas au petit peuple. Elle aboutit elle aussi à Mirghul, à la recherche de Beagh, la seule personne qu'elle connût en dehors d'Avalon. À cette époque, Beagh s'était déjà retourné contre les magiciens de Mirghul. Ceux-ci abusèrent d'Oonagh; ils lui apprirent des rudiments de magie, pour qu'elle retrouve son demi-frère plus rapidement. Qader fut tué durant le siège d'Arieste avant qu'elle ne le retrouve.

— D'une certaine manière, dit Alys, en rencontrant Télem, j'ai complété la quête commencée par mon aïeule...

— Oui. Oonagh fut la première d'une lignée de très grands magiciens qui, malheureusement, se rangèrent tous du côté des magiciens renégats.

— Jusqu'à ce que l'héritier de Qader me convertisse à la philosophie bancale de son ancêtre, dit Alys. Mon pauvre Télem, conclut-elle, comment vas-tu annoncer ça à Freya?

— Je ne sais pas, mais pour le moment nous avons une sorte de tyran à éliminer. Ça, au moins, nous savons comment nous y prendre, répondit Télem sur un ton désabusé.

11

Une expédition mal engagée

L'armée à la tête de laquelle marchaient
maintenant Télem et Alys ne méritait pas ce
nom. Tant chez les humains que dans le petit
peuple, il y avait certes quelques aventuriers,
mais guère de soldats dignes de ce nom. Les
dangers d'Avalon n'étaient généralement pas
de ceux que l'on combat par les armes. Quelques géants descendaient bien parfois des collines pour terroriser les villages, mais les
géants étaient lourds et stupides et c'était
moins l'habileté aux armes que la ruse et
l'astuce qui permettaient de les tuer. À la tête
d'une centaine d'hommes et d'un nombre difficile à déterminer de fées — celles-ci se ca-
chaient et ne marchaient pas avec le reste de
la troupe — les deux jeunes magiciens par-
taient donc à l'assaut du Château de Crânes.

Il était difficile d'estimer la menace que
représentaient, sur le plan militaire, les gobelins qui défendaient la forteresse. On savait

qu'ils étaient aidés de quelques autres créatures maléfiques — des géants, en particulier — mais personne n'aurait pu en dire plus. Une expédition semblable, quelques années auparavant, s'était soldée par un désastre.

Le Château de Crânes était l'endroit le plus terrifiant d'Avalon. Construit voilà des milliers d'années, il n'avait pas cessé de grandir, au gré des guerres, des tortures et des fléaux. Après chaque attaque, les ossements de ceux qui était morts au combat étaient utilisés pour étendre et renforcer la forteresse. Au fil des siècles, les aventuriers, les magiciens, les rois du petit peuple et les démons qui en avaient pris le contrôle avaient fait de cet ossuaire un lieu de sorcellerie et de maléfices.

—Je suis inquiet, dit Télem, qui chevauchait à la tête de l'armée aux côtés d'Alys et d'Aisling. Ça fait deux jours que nous marchons vers le Château de Crânes et nous n'avons pas encore vu un seul gobelin.

— Tu crains un piège, toi aussi, n'est-ce pas? répondit Alys, soucieuse.

— Nous connaissons tellement mal notre ennemi et ses méthodes que nous n'avons pas le choix de foncer dans le piège qu'il nous tend, répondit Télem.

— Tu as ton épée magique. Si nos ennemis pensent nous avoir facilement, ce sont eux qui vont avoir toute une surprise.

—J'espère que ça suffira. Ce serait bête d'avoir fait tout ce chemin, d'avoir appris toute la vérité sur le destin de Qader rien que pour permettre à des gobelins dégénérés de danser sur notre cadavre.

— Brrrr, dit Alys, tu me donnes froid dans le dos. Tout se passera bien, tu verras. Aucun ennemi ne pourra être pire que Prentziq, le Duc-magicien.

* * *

La petite armée suivait depuis quelques heures un sentier traversant un secteur très accidenté de la forêt. Le chemin serpentait à travers des collines abruptes, parfois même des falaises, couvertes de conifères serrés les uns contre les autres. Ni Télem ni Alys ne pouvaient s'empêcher, malgré leur angoisse croissante, d'admirer cet endroit magnifiquement sauvage, où se mélangeaient les odeurs âcres de la résine et de l'humus.

Soudain, une masse de troncs d'arbres et de grosses pierres débola la pente juste devant les deux magiciens et vint bloquer la route.

— Alerte! Une embuscade! crièrent plusieurs soldats.

D'un coup d'œil, Télem jaugea la situation. Plusieurs gobelins dévalaient la pente et prenaient position sur les éboulis. Il n'y avait pas moyen d'avancer sans se battre. D'un air farouche, Télem sortit son épée du fourreau,

119

mais sans faire avancer son cheval. Il cherchait en vain une façon d'éviter le combat.

Des cris de panique venant de l'arrière le tirèrent de sa réflexion :

— Un géant !

Se retournant, Télem aperçut, à deux ou trois cents pieds à peine, un géant monstrueux. Il mesurait vingt ou trente pieds de haut, était vêtu d'une multitude de peaux de bêtes et portait une large ceinture de cuir d'où pendaient de nombreuses chaînes de fer. Et au bout de chacune de ces chaînes était accrochée une tête d'homme fraîchement coupée. Le géant donnait à gauche et à droite des coups de son énorme masse et presque à chaque fois, le corps disloqué de l'un des soldats d'Avalon était projeté dans les bois.

— C'est Blerrig, le géant aux chaînes ! cria un homme près de Télem. Nous sommes perdus !

— Télem, trouve quelque chose ! cria Alys.

Une terreur contagieuse avait en effet gagné toute l'armée, et la plupart des soldats fuyaient vers l'avant sans même opposer de résistance au géant. Les gobelins et leurs poignards acérés devaient leur paraître plus doux !

Il fallait faire face. Se battre. Faisant demi-tour, Télem se dirigea vers le monstre.

— Courage ! criait-il aux fuyards. Nous sommes à cent contre un !

Cinq ou six chasseurs de géants réputés à travers tout Avalon se joignirent à Télem.

— Arrange-toi pour attirer son attention! cria l'un d'eux à Télem.

Télem lança sa monture à l'assaut de Blerrig en faisant tournoyer Aradril au-dessus de sa tête. Blerrig fit quelques moulinets menaçants avec sa massue avant de l'abattre sur le sol. Le cheval de Télem, atteint à la tête et au poitrail, fut tué sur le coup et projeté sur le côté. Sous le choc, l'épée Aradril glissa des mains de Télem et alla se planter dans la cuisse du géant, pendant que le jeune magicien était projeté contre un petit sapin.

Blerrig, blessé à la jambe, poussa un cri de douleur qui fit vibrer le sol. D'un coup de son énorme massue, il écrasa le sapin qui avait amorti la chute de Télem, sans toutefois atteindre le jeune magicien. Celui-ci, d'un coup de reins, avait fait un bond en arrière et s'était remis sur ses pieds.

Pour éviter la colère du géant, qui brandissait à nouveau son arme, Télem se cacha entre les conifères qui poussaient sur la pente abrupte qui bordait la route. Le géant se lança à sa poursuite.

— C'est ça, Télem, grimpe! cria l'un des tueurs de géants.

Télem ne se le fit pas dire deux fois. Il gravit la pente à une vitesse qu'il n'aurait jamais cru possible, profitant de chaque branche et de chaque racine comme prise. Le géant le poursuivait de près, abattant sa massue çà et là et déracinant quelques petits arbres.

— Tourne à ta droite et redescends, maintenant! cria à nouveau le tueur de géants.

Télem fit comme on le lui avait demandé, courant le long de la pente raide, le géant à ses trousses.

Tout à coup, le géant tomba! Blerrig s'étendit de tout son long, et le sol trembla sous l'impact. Derrière le géant, plus haut, deux sapins furent emportés dans sa chute. Le géant semblait retenu par les pieds, incapable de se relever. Gêné par son propre poids le long d'une pente abrupte, il n'était pas capable de se relever. Les tueurs de géants, armés de piques et de lances, se précipitèrent sur Blerrig et le tuèrent.

Télem remarqua alors la corde qui retenait le géant par l'un de ses pieds et comprit comment les tueurs de géants étaient venus à bout du monstre.

Profitant de la diversion que Télem avait provoquée, les tueurs de géants avaient tendu un piège à Blerrig. Ils avaient fait un grand nœud coulant dans une corde. Au moment où Blerrig s'élançait derrière le jeune magicien, le nœud s'était refermé sur la jambe du géant. Pendant qu'il suivait Télem, les soldats avaient attaché la corde à un gros tronc d'arbre. Lorsque la corde avait manqué, Blerrig avait été retenu par la cheville et il était tombé.

—Vite! cria Télem en retirant son épée de la cuisse du géant. En avant!

Mais Télem et les tueurs de géants arrivèrent trop tard pour prêter main-forte à leurs compagnons aux prises avec les gobelins : ceux-ci avaient pris la fuite lorsqu'ils avaient vu Blerrig tomber.

Les pertes étaient lourdes. La petite troupe ne comptait plus que soixante hommes. C'était bien peu, pour affronter Amadan dans son repaire, d'autant plus que les fées semblaient s'être dispersées lors du combat et qu'il n'était donc pas certain que le petit peuple pourrait les appuyer lors du combat. Le lendemain, songea Télem, il leur faudrait sans doute déployer encore davantage de ruse pour s'emparer du Château de Crânes.

* * *

Télem et Alys étaient en train de dormir lorsqu'ils furent réveillés par des cris de femme.

—Non! C'est trop tôt! J'ai encore des choses à accomplir! suppliait la voix.

Télem et Alys se regardèrent, d'autant plus surpris et mal à l'aise qu'à ces cris désespérés se joignaient les gémissements et les pleurs d'une autre femme.

Il était difficile de deviner d'où provenaient ces voix. La nuit était entrecoupée de pans de brouillard épais et une lune blanche et froide découpait des ombres inquiétantes.

— C'est trop tôt! reprit la voix dans un sanglot.

— Où est Aisling? demanda Alys.

— Je ne sais pas, répondit Télem, mais il se passe quelque chose. Où sont les gardes? Tous les soldats dorment.

— Les voix viennent de là-bas, répondit Alys en désignant une petite colline que l'on entrevoyait à travers le brouillard.

— Debout! dit Télem en secouant un des soldats. Réveille les autres sans faire de bruit. Il se passe quelque chose, nous partons examiner ça.

Les deux magiciens s'approchèrent le plus silencieusement possible de la colline d'où provenaient les pleurs et les lamentations. Les pleurs étaient tellement ténus qu'il leur fallait presque retenir leur souffle pour les entendre. Ils cessèrent complètement lorsque Télem et Alys parvinrent au pied de la butte.

Il y avait là une jeune fille blonde, debout contre un arbre, qui sanglotait doucement. Elle était habillée de blanc et la lumière lunaire la rendait terriblement pâle et fragile.

— Aisling, demanda Alys en s'élançant vers la jeune fille pour la consoler, que s'est-il passé?

— La... La banshee... balbutia la princesse des Saules.

— Aisling, tu nous entends? répondit Alys, interloquée.

— Tu parles? continua Télem.

— La banshee, continua Aisling, Elle... elle est venue me chercher...

— C'est une des créatures d'Amadan? demanda doucement Alys, comme si elle avait peur d'effrayer la princesse.

— Non, répondit-elle. Les banshees appartiennent au petit peuple. Elles sont très belles...

La jeune fille regardait droit devant elle, fixement, les mains ramenées contre sa poitrine comme si elle avait du mal à retenir ses émotions.

— Elles sont très tristes aussi, continua-t-elle. Les banshees sont celles parmi les fées qui annoncent les décès et qui viennent chercher l'âme des morts.

— Qui est mort? demanda Télem.

— Moi! répondit Aisling dans un souffle.

Les deux magiciens ne savaient trop que dire. La jeune fille était là, bien vivante, devant leurs yeux! Son visage baigné de lune était d'une pâleur effrayante, mais la poitrine d'Aisling se soulevait au rythme de ses longs soupirs.

— Amadan a envoyé un sortilège, reprit Aisling. Nous devions tous dormir et être attaqués par les gobelins. J'aurais dû mourir lors de ce combat. Mais les sortilèges n'avaient guère de prise sur moi tant que je rêvais avec le petit peuple, tant que j'étais sourde et muette, partagée entre le monde des fées et celui des humains.

— Et maintenant? demanda Télem.

— L'attaque n'aura pas lieu. J'ai pleuré, j'ai supplié et la banshee m'a donné un sursis. Elle a levé le sort, je ne mourrai que demain.

— Toi, mourir? intervint Alys. Mais c'est impossible...

— Mourir? demanda doucement Aisling. Meurt-on réellement? À ma mort, mon âme ira se promener sous les grands chênes de la forêt. L'automne, lorsque le vent froid soufflera, j'écouterai leur chant. L'hiver, je me blottirai entre leurs branches et je sentirai la vie qui sommeille dans leurs bourgeons. Au printemps, j'assisterai à leur floraison. Je mènerai, enfin, la même vie que le petit peuple. Et un jour, peut-être, mon âme sera rappelée sur terre.

— Qu'est-ce qu'il faudra faire de ton corps? risqua Alys.

— Le petit peuple s'en occupera. Les fées viendront fleurir ma tombe et les chênes sous lesquels j'aurai été enterrée viendront se nourrir de ma substance.

Les deux jeunes magiciens ne savaient que dire. Quelles étaient les paroles à dire à une morte en sursis? Quels mots pouvaient avoir un sens pour une jeune femme qui n'avait plus que quelques heures à vivre?

— Ce n'est pas pour moi que je pleure,

ajouta Aisling, mais pour le petit peuple. Amadan n'est pas encore vaincu et Avalon, pas encore sauvée!

— Nous vaincrons Amadan, répondit Télem. Je le jure! Je poursuivrai la lutte même après ta mort, s'il le faut.

— Je le jure aussi, dit Alys. Avalon sera sauvée!

12

Dans le Château de Crânes

La petite troupe se remit en marche dès l'aube. C'était un matin humide et brumeux. Aisling, aux côtés de Télem et d'Alys, marchait avec le regard éteint de celle qui se sait condamnée.

Au bout d'une heure de marche, ils arrivèrent en vue du Château de Crânes. C'était une forteresse redoutable, faite de crânes rendus blancs et luisants par les intempéries. Le soleil, qui commençait à percer la brume, luisait d'une manière étrange sur les os lisses. Et il brillait également sur les casques des gobelins alignés en rangs serrés sur la plaine.

— Il y en a aussi derrière nous, dit Alys. Il y a des centaines de gobelins partout, et nous ne sommes que soixante!

— Amadan est un magicien, dit Télem en sortant l'épée Aradril du fourreau. Il faut foncer vers le château, le trouver et engager le combat directement avec lui.

— En avant! hurla Aisling à l'intention des soldats en s'emparant d'Aradril sans que le jeune magicien ait le temps de réagir.

— Hé! c'est mon épée! cria Télem.

Mais il était trop tard. Aisling, suivie de la troupe hurlante des soldats, se précipitait vers le Château de Crânes.

— Viens, dit Alys, il ne faut pas traîner ici!

Tout en courant vers le champ de bataille, Télem lança quelques sorts, mais il avait du mal à se concentrer au milieu de toute cette confusion. Il créa une ou deux illusions qui, il l'espérait, empêcheraient certains groupes de gobelins de retrouver le champ de bataille.

Mais c'était peine perdue. Les gobelins avançaient à dix contre un, et les jeunes magiciens, entourés de combattants, se retrouvaient sans armes et sans idée pour renverser le cours de la bataille. Et soudain, ils remarquèrent un petit bonhomme qui, appuyé contre une grosse pierre, les regardait d'un air narquois.

— Ballygarvaun! cria Télem. Que fais-tu ici?

— Vous ne vous rendrez jamais à Manawyddan comme cela, répondit-il. Heureusement que nous, les leprechauns, connaissons les trésors cachés et les passages secrets!

Ce disant, Ballygarvaun renversa la grosse pierre contre laquelle il se tenait, découvrant les premières marches d'un escalier.

— Ballygarvaun, dit Alys, tu es fantastique! Viens ici que je t'embrasse!

— Une autre fois, peut-être! répondit le

leprechaun en dévalant l'escalier à toute vitesse.

— Vite! dit Télem, il faut retrouver Amadan avant que les gobelins ne remportent la victoire!

Mais au même moment, une demi-douzaine de gobelins percèrent la ligne de défense et se précipitèrent sur les deux jeunes magiciens pour les empêcher de descendre les marches. Télem et Alys eurent à peine le temps de réagir, mais ce fut Aisling qui s'interposa et qui, seule contre six, arrêta les gobelins.

— Descendez, vite! cria-t-elle. Il faut sauver Avalon!

En empruntant l'escalier derrière Alys, Télem aperçut Aisling qui tombait sous les coups des gobelins.

* * *

En suivant à la course un long couloir souterrain, Télem et Alys parvinrent à la forteresse sans rencontrer un seul adversaire. Remontant un escalier en colimaçon, ils débouchèrent dans la cour du Château de Crânes. Elle était absolument vide. Le pouvoir d'Amadan était-il plus faible qu'ils ne l'avaient supposé?

— Encore une fois, vous avez contrarié mes plans, dit une voix caverneuse et qui semblait leur parvenir de très, très loin.

— Qui parle? demanda Télem. Il me semble connaître cette voix.

— Ici, on me connaît sous le nom d'Amadan, répondit la voix.

Télem aperçut alors un homme qui se tenait à l'ombre des murailles. Il était difforme, avec d'atroces cicatrices, des bras plantés plus bas que la hauteur des épaules, des jambes arquées vers l'intérieur.

— Prentziq! cria Télem en reconnaissant son vieil ennemi.

— Oui, c'est bien moi, Tétragrammaton. Pourquoi faut-il toujours que tu croises mon chemin?

Télem fut surpris du ton sur lequel parlait le Duc-magicien. Autrefois, sa voix n'exprimait que la haine. Cette fois, elle était pleine de lassitude.

— J'allais te poser la même question, répliqua Télem.

Sous le couvert d'une conversation banale, le combat de magiciens était en train de s'engager. Ce n'était pas une lutte inégale et désespérée comme au Château de Fer, moins de deux mois plus tôt. Cette fois, Télem était en pleine possession de ses moyens et Alys se trouvait à ses côtés. Quant à Prentziq, il paraissait à la fois étrangement absent et réticent.

Les deux jeunes magiciens avaient créé une barrière d'énergie magique entre eux et Prentziq afin de se protéger contre ses efforts pour briser leur volonté, mais cette protection ne subissait presque aucun assaut.

— Tu sais qu'en détruisant Avalon, tu détruis la dernière chance de l'univers de se régénérer? dit Alys qui passa à l'attaque en envoyant une bouffée d'énergie pour tester la résistance des barrières du Duc-magicien.

— Je m'en moque, répondit Prentziq. Ce que je veux, c'est le pouvoir. Le pouvoir de briser votre confrérie de magiciens. Le pouvoir de venir à bout de votre Qader et de sa maudite philosophie. Le pouvoir de refaire l'univers à ma convenance!

Tant la défense de Prentziq contre l'attaque d'Alys que sa contre-attaque avaient été molles. Télem se trompait-il ou le Duc-magicien avait-il réellement épuisé ses réserves d'énergie magique? Il fallait en avoir le cœur net. Par un sortilège mineur, Télem détacha un tout petit bout d'os du sommet de la muraille et le fit tomber sur Prentziq. Celui-ci n'annula pas le sort. L'os tomba directement sur sa tête... et passa à travers lui!

Prentziq éclata d'un rire qui semblait venir de très loin et avança de quelques pas, de manière à se trouver dans les rayons du soleil. On ne le voyait presque plus. La lumière le traversait!

— Ce n'est qu'une image! dit Télem. Une vulgaire illusion!

— Vulgaire? dit Prentziq. Non! C'est la plus grande des illusions que j'aie jamais réalisées.

133

Qu'est-ce que Prentziq voulait dire par là? se demanda Télem. Gardait-il son énergie pour un sortilège qui les prendrait par surprise? Cherchait-il à épuiser les forces de ses deux ennemis en les faisant attaquer ce qui n'était qu'une simple illusion? Tout cela ne tenait pas debout.

—Prentziq, demanda Alys, la dernière fois que je vous ai vu, vous avez été emporté au centre de la terre par des démons qui avaient échappé à votre contrôle. Comment pouvez-vous être à la fois ici et...

—Je comprends! dit Télem. Alys, c'est simple: Prentziq est encore au centre de la terre! Il a utilisé tout son pouvoir pour projeter son image ici et pour encourager les gobelins à écraser Avalon.

—J'ai encore les moyens de te détruire, Tétragrammaton! cria Prentziq.

Le Duc-magicien accompagna sa menace d'une importante décharge d'énergie magique. Les défenses de Télem furent fortement ébranlées et de la sueur perla sur son front. Le jeune héritier de Qader ne put rétablir la situation que lorsque Alys lui prit la main et lui communiqua un peu de son énergie.

Il se produisit alors une chose étrange: l'image de Prentziq, retournée dans l'ombre et donc parfaitement visible, s'entoura d'un grand nombre de petits démons qui tournoyaient autour du Duc-magicien à une vitesse folle. Celui-ci essayait de les chasser avec de grands mouvements des bras, comme s'il s'agissait de mouches.

— Cette fois-ci, Prentziq est perdu! dit Télem. Il a essayé de me mettre hors de combat en m'assommant avec une décharge de puissance magique et ça a raté. Il a gaspillé ses dernières forces et, pendant ce temps, il a laissé les démons s'approcher de lui là-bas, au centre de la terre. Je parie qu'il a aussi perdu le contrôle des gobelins!

— Laisse-moi lui parler, dit Alys. J'aurai plus de chances que toi de le convaincre d'abandonner les magiciens noirs.

Télem était persuadé depuis toujours que Prentziq était d'une malignité que rien ne pouvait racheter. Jamais il ne pourrait servir d'autre cause que celle du chaos. Mais Télem laissa son amie parler au Duc-magicien. Il fut alors témoin d'une conversation étonnante.

Alys parla doucement à Prentziq, en utilisant très peu de magie pour appuyer ses propos. Elle lui parla de sa conception de la magie, du rôle qu'Avalon avait à jouer dans l'univers, au tort que l'utilisation abusive de la magie avait provoqué. Le Duc-magicien écoutait, comme hypnotisé, ce que lui racontait Alys, oubliant presque les démons qui lui tournaient autour en grimaçant.

Au bout de quelques minutes, il devint évident qu'Alys avait remporté cet affrontement. Elle n'utilisait presque plus de magie et sa voix était passée du ton de la persuasion à celui de

la consolation. Et soudain, au grand effare-
ment de Télem, le Duc-magicien s'effondra en
larmes en demandant à Alys de l'aider à fuir le
centre de la terre!

— Es-tu certaine qu'il est sincère? demanda
Télem à Alys.

La question était superflue. Ce n'était plus
un magicien renégat qui était là, devant eux,
en train de pleurer à chaudes larmes. Ce
n'était qu'un vieillard fatigué et rongé par un
remords dont il ne pourrait jamais se libérer.

— Mon pauvre Télem, tu n'as encore rien
compris, dit Alys. Prentziq n'a jamais rien osé
entreprendre qui me mette directement en
danger. Tu sais, je me suis toujours demandé
pourquoi on m'avait séparée de ma famille si
jeune pour me faire étudier la magie. C'est
quand Erin nous a raconté l'histoire de notre
famille que j'ai compris.

— Compris quoi? demanda Télem avec
inquiétude.

— Que je suis son grand-père, sanglota
Prentziq.

Épilogue

Les jours qui suivirent la défaite finale de Prentziq ne furent pas aussi joyeux qu'on aurait pu l'espérer. En Avalon comme ailleurs, il y avait un prix à payer pour les victoires et ce prix était élevé.

Aisling, la fille d'Iain le roi des Sorbiers, était tombée au combat, de même que la plupart des soldats et des tueurs de géants. Ils s'étaient bien battus et des centaines de corps de gobelins jonchaient le champ de bataille. Mais n'eût été la victoire de Télem et Alys sur Prentziq, il était clair que la petite troupe aurait été anéantie.

Des survivants confièrent aux deux jeunes magiciens qu'Aisling n'était pas morte sur le coup. Des fées s'étaient occupées d'elle pendant que la bataille faisait rage. Elle avait expiré seulement au moment où les gobelins s'étaient dispersés, en proie à une terreur inexplicable. Elle était morte avec la certitude qu'une paix durable était acquise pour Avalon.

Le sort de Prentziq était lui aussi fort triste. Le Duc-magicien déchu était resté prisonnier des démons au centre de la terre. Ses forces faiblissaient à vue d'œil et l'image de lui-même qu'il projetait en Avalon était de plus en plus pâle et indistincte. Les deux jeunes magiciens lui avaient promis de le tirer de là, mais la chose n'avait rien de simple.

Il fallut demander à Prentziq lui-même le sortilège qui permettait d'appeler des créatures du centre de la terre. Non seulement ce sortilège était-il en soi fort complexe, mais de plus, Télem dut imaginer un moyen de le modifier pour que ce ne soit pas un démon qui apparaisse, mais bien Prentziq lui-même. Au terme d'une incantation qui ne dura pas moins de deux jours et une nuit, les jeunes magiciens réussirent à ramener du centre de la terre une chose qui n'avait plus vraiment figure humaine et qui respirait avec peine : le Duc-magicien Prentziq.

Les séjours successifs de celui-ci dans le chaos et dans l'univers des démons l'avaient complètement dénaturé. L'image que le Duc-magicien avait envoyée de lui-même en Avalon, bien que repoussante, ne rendait pas justice aux difformités innommables dont il était affligé. Prentziq avait les bras à la place des jambes et inversement. Pas un de ces membres n'était de la même longueur. Une main avec trois doigts crochus sortait de son ventre à la hauteur du nombril. Une espèce de fourrure poussait par plaques un peu partout sur son corps, là où il n'y avait pas de verrues. Et enfin, à la base de son cou poussait une tête miniature, comme une sorte de bourgeon.

Même pas un magicien repenti, Prentziq n'était plus rien: frappé d'une sorte de démence à la pensée de tout le mal qu'il avait fait au monde, il ne cessait de gémir et de se lamenter. Dans ses moments de lucidité, toutefois, il répondait volontiers aux questions que lui posaient les deux jeunes magiciens.

C'est ainsi qu'ils apprirent que les magiciens renégats connaissaient depuis la chute d'Arieste, voilà six cents ans, l'existence de l'anneau de Qader. Depuis cette époque, ils n'avaient ménagé aucun effort pour le retrouver. C'est dans le cadre de ces recherches, à l'époque où Télem et Alys n'étaient encore que de tout jeunes enfants, que Prentziq était allé à Mirghul et avait appris l'existence d'Avalon. Tout comme Télem et Alys, Prentziq avait des ancêtres en Avalon et la magie particulière qui protégeait les lieux n'avait pas eu de prise sur lui. Il avait aussitôt cherché à en prendre le contrôle pour asservir le petit peuple et le mettre à contribution pour ses conquêtes. Lorsque Prentziq avait été précipité dans le chaos, durant le siège d'Arieste, il avait perdu le contrôle des gobelins et la paix était revenue en Avalon. Après l'échec de sa tentative pour reprendre le contrôle du royaume d'Erkléion, Avalon était sa dernière chance de reconstituer son pouvoir.

Quant à l'anneau de Qader, c'était un marchand ivre mort, à l'auberge de Mirghul, qui avait vendu la mèche. Devant des savants et des philosophes sceptiques, il s'était vanté d'avoir déjà eu en sa possession un véritable anneau magique. Prentziq, qui avait tout observé du fond de la salle commune, avait alors demandé à ses lieutenants d'entreprendre des recherches. Il leur avait fallu de nombreuses années avant de retrouver la trace d'Ethel, la mère de Télem.

— Tu sais, Tétragrammaton, disait Prentziq, je ne demande même pas à ce que l'humanité me pardonne. Si seulement on pouvait m'oublier...

— On ne t'oubliera pas, Prentziq. Avec le temps, on en viendra à te pardonner. Et alors, l'histoire verra en toi celui qui, bien malgré lui, a permis la victoire finale du qadérisme sur le chaos. Penses-y : si tu n'avais pas lancé tes armées à ma poursuite, je ne serais jamais entré en contact avec Qader, tu n'aurais jamais été vaincu devant Arieste et tu aurais détruit Avalon. Et même si tu n'avais pas réussi à détruire le petit peuple, le reste du monde aurait continué à ignorer son existence et à s'enfoncer toujours un peu plus dans le néant. S'il existe maintenant un espoir de sauver le monde, Prentziq, c'est un peu grâce à toi.

Ces paroles ne consolèrent le Duc-magicien qu'à moitié. Quelques heures plus tard, rongé par le regret et torturé par ses difformités, Prentziq sombrait dans une torpeur mortelle.

* * *

Debout, une jambe repliée contre un arbre, Iain jouait un air triste avec sa flûte. Partagé entre la douleur d'avoir perdu sa fille et le bonheur de savoir qu'elle était morte heureuse d'avoir accompli son destin, le roi des Sorbiers se réfugiait dans la musique et les chansons.

Non loin de là, assis sur le gazon près de la petite cascade qui se trouvait derrière la maison d'Iain, Télem et Alys se reposaient de toutes ces émotions en bavardant à l'ombre d'un grand sorbier.

— Tu sais, disait Télem à l'intention de sa compagne, je suis presque triste que tout ça soit fini.

— Pourtant, tu as enfin eu les réponses que tu voulais : qu'est-ce que l'anneau de Qader, comment ta mère l'a obtenu, pourquoi c'est toi qui as été choisi comme héritier...

— Je sais, c'est ce que je cherchais depuis le début. Mais tant que je cherchais ces réponses, j'avais l'espoir qu'elles résoudraient tous mes problèmes.

— Évidemment, dit Alys, nous n'avons ni l'un ni l'autre obtenu les réponses que nous aurions voulu avoir : le qadérisme est une philosophie incomplète, la magie ne devrait peut-être pas être entre les mains des humains, mon ancêtre est une créature née d'artifices magiques, mon pire ennemi était en réalité mon grand-père...

— La recherche de la vérité, quelle blague sinistre! Au mieux, on peut comprendre le fonctionnement des choses. Mais penser qu'en saisissant leur fonctionnement, on comprend automatiquement quelle attitude on doit adopter face à elles, quelle illusion!

— Télem, tu n'es pas en train de retomber dans le doute, j'espère...

— Non, rassure-toi. Mais je suis en train de tirer une leçon importante de tout ce que j'ai vécu chez les magiciens. Quelle que soit l'ampleur de nos connaissances, nous aurons toujours à faire des choix éthiques.

— Et actuellement, as-tu une idée du choix à faire?

— Ce n'est pas un choix facile, Alys. Qader avait espéré que les magiciens puissent remplacer le petit peuple, mais cette tentative a échoué. La magie est maintenant discréditée: nous l'avons bien vu à Mirghul. Avec toutes leurs machines, ces gens-là essaient eux aussi de faire en sorte que notre monde fonctionne correctement.

— Mais ils ne savent pas comment s'y prendre! Tu n'as qu'à regarder autour de toi, Télem: toute cette beauté, toute cette harmonie, c'est le petit peuple qui la crée!

— La reine Erin nous a appris que la magie était le don qu'avait reçu le petit peuple au début du monde. Mais elle ne nous a rien dit du don qu'avaient reçu les humains.

— Tu as une idée de ce que ça peut être, toi?

— L'intelligence. La capacité de construire des machines, justement. Même ici, en Avalon, les gens ont des moulins, des charrettes, ils construisent des maisons et des granges. Et ça ne scandalise personne...

— Mais il y a une différence entre un moulin à eau et cette arme, cette...

— Arquebuse... Oui, il y a une différence, mais c'est une différence entre les buts recherchés, pas entre les moyens. Ici, on vit avec le petit peuple. À Mirghul, on cherche maladroitement à le remplacer.

— Alors, il faut laisser le petit peuple faire son travail.

Télem réfléchit quelques instants. Il semblait soupeser chacune des alternatives qui s'offraient aux magiciens. Freya lui avait confié une mission : avait-il des réponses à donner à la magicienne?

— Qader souhaitait que les magiciens se substituent au petit peuple en dehors d'Avalon, résuma enfin Télem. Probablement parce qu'il reconnaissait l'importance du travail des fées dans l'équilibre de l'univers. Cette stratégie a été un échec: nous, les humains, n'avons tout simplement pas la sagesse requise. Seul le petit peuple peut y parvenir.

— Mais le petit peuple est fort peu nombreux, et les magiciens ont des pouvoirs qu'il faut utiliser, objecta Alys.

— Ce que je vais proposer à Freya et à la confrérie des magiciens, c'est un nouvel objectif: faire en sorte qu'Avalon reprenne le terrain perdu. Ça sera long, mais avec notre aide, un jour, Avalon recouvrira le monde entier à nouveau.

— Rendre notre monde plus agréable pour encourager le petit peuple à revenir, c'est bien ça?

— Freya et les autres ne seront pas bien difficiles à convaincre, une fois qu'ils auront visité Avalon eux aussi. Notre magie a failli détruire Avalon: nous avons maintenant la responsabilité de réparer. Bien utilisée, la magie est capable de grandes choses.

— Et un jour, dit Alys, quand Avalon aura repris ses droits, le dernier magicien regardera avec satisfaction le petit peuple s'occuper du monde et il saura que nous avions raison.

Iain avait cessé de jouer de sa flûte. Il semblait songeur.

— Entendez-vous? cria-t-il à l'intention des deux jeunes magiciens. Des funérailles!

Télem et Alys se levèrent et suivirent Iain à travers les broussailles. On entendait distinctement les fifres, les violons et les cymbales qui jouaient un air beau et plaintif, bien que capricieux — un air aussi déconcertant que le petit peuple lui-même.

La procession était particulièrement longue. Il y avait là tous les rois et toutes les reines du petit peuple, chevauchant parés de leurs plus beaux atours. Il y avait une multitude de danseurs, pour rappeler que la mort faisait partie de l'ordre des choses, et qu'il ne fallait pas être trop triste. Il y avait aussi une foule de jongleurs et d'acrobates.

Et en tête de cette procession, le corps d'Aisling. Son visage était beau et souriant, son corps couvert de fleurs. Iain s'appuya contre un arbre et étouffa quelques sanglots. Il savait que sa fille était heureuse là où elle était, mais il était triste de ne plus l'avoir à ses côtés. Strathaird, le roi des Daoine Sidhe, s'avança et dit :

— Ne pleure pas, Iain. Ta fille est morte bravement. Elle a toujours vécu avec nous en rêve, et maintenant les fées ont accueilli son âme. Elle est heureuse, là-bas, dans les collines et dans les arbres.

— Merci Strathaird, répondit simplement Iain. Dommage que nous nous rencontrions toujours dans ces moments de tristesse.

La procession se remit en marche. Elle passa sans que Télem, Alys ou Iain, tristes et songeurs, ne bougent. Un petit bruit de martèlement se fit soudain entendre. Derrière eux, Ballygarvaun le leprechaun était en train de réparer une chaussure gauche.

— J'ai été très occupé par mon travail, dit-il, et j'ai oublié de vous demander si vous aviez toujours besoin de mon aide.

— Oui, plus que jamais, répondit Télem.

— Nous allons bientôt quitter Avalon, dit Alys. Mais nous reviendrons souvent. Et je suis

145

certaine qu'à chaque fois, la vieille forêt sera un peu plus grande.

— Les humains aiment se compliquer la vie, Ballygarvaun, dit Télem. Mais ils n'ont pas complètement perdu le souvenir d'Avalon: ils sont sensibles à la beauté.

— Je suis beau, moi? bredouilla Ballygarvaun en rougissant. Je... Vous... Mais...

Le leprechaun disparut en courant, sous le regard amusé et attendri des deux magiciens. Sans se soucier d'Iain, qui s'éloignait en jouant de la flûte, Télem enlaça Alys et l'embrassa tendrement. Une sorte de frémissement parcourut la vieille forêt.

Pour la première fois depuis des millénaires, elle venait de reprendre un pouce de terrain perdu.

Table des matières

Collection

Jeunesse – pop